① 地図で日本発見!

1：5,500,000
（550万分の1）

外国語の日本地図、日本の四季の動画、など

0　50　100　150　200　250km
地図上の1cmは実際には55kmです。

いっしょに学習しよう！

わたしが地図帳の使い方をしょうかいするよ。

地図の大切なポイントをいっしょに確認しよう。

スパロウ先生

ななみさん　小学6年生

りくさん　小学3年生

QRコードを使おう

タブレットパソコンなどを使って、ページのタイトル横にあるQRコードを読み取ろう。

QRコードのコンテンツメニュー

QRコードのコンテンツメニュー

QRコードを読み取ると、右側に示したコンテンツを見ることができます。

▶ 下のアドレスを入れてコンテンツメニューを見ることもできます。
https://tks46.jp/06es/map

地図のまわりの絵は、それぞれの都道府県の有名なものです。絵の番号を地図からさがすと、どの都道府県のものかがわかるよ。

発見しよう

あなたの住む都道府県を地図からさがして、有名なものの名前といっしょに書いてみよう。

都道府県

有名なもの

日本には、ぜんぶでいくつの都道府県があるかな。

九州地方

㊵ 太宰府天満宮

㊶ のり

㊷ カステラ

㊸ 熊本城

㊹ 別府温泉

㊺ マンゴー

長

鹿児島

㊻ 桜島

㊼ 沖縄美ら海水族館

東 シ ナ 海

JN072809

沖縄県
㊼

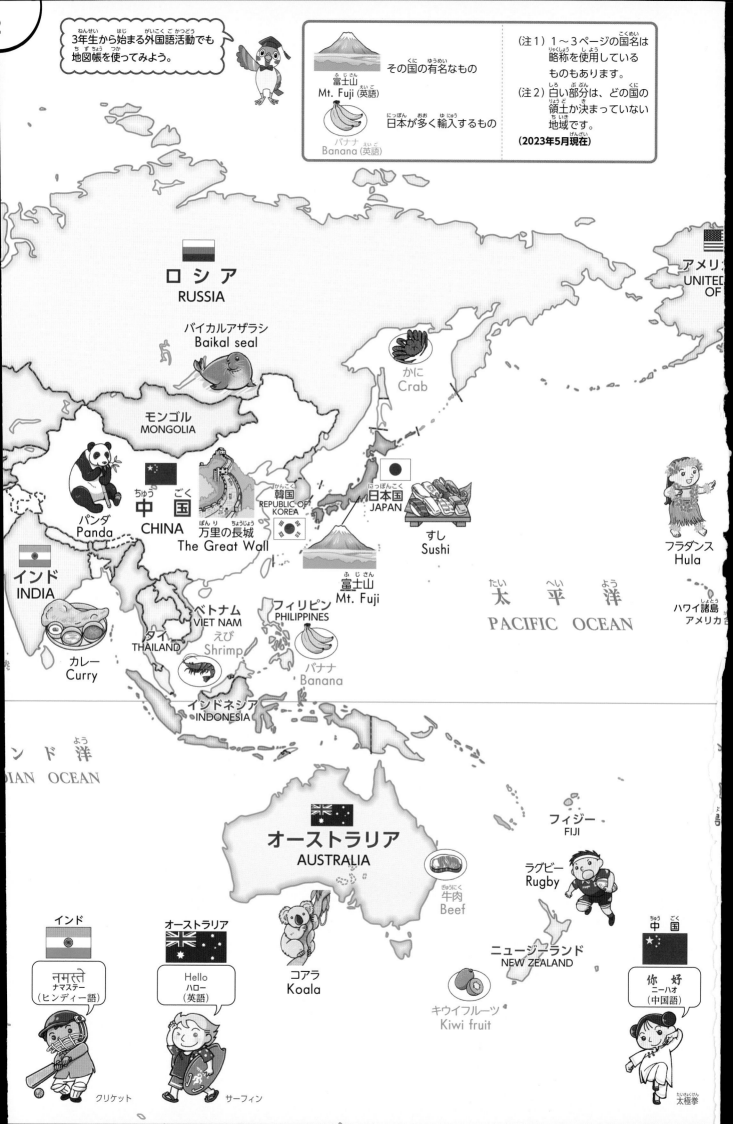

3年生から始まる外国語活動でも地図帳を使ってみよう。

富士山
Mt. Fuji (英語)　その国の有名なもの

バナナ
Banana (英語)　日本が多く輸入するもの

(注1) 1〜3ページの国名は略称を使用しているものもあります。
(注2) 白い部分は、どの国の領土が決まっていない地域です。
(2023年5月現在)

ロ シ ア
RUSSIA

バイカルアザラシ
Baikal seal

かに
Crab

モンゴル
MONGOLIA

パンダ
Panda

中 国
CHINA

万里の長城
The Great Wall

韓国
REPUBLIC OF KOREA

日本国
JAPAN

すし
Sushi

富士山
Mt. Fuji

太 平 洋
PACIFIC OCEAN

フラダンス
Hula

ハワイ諸島
アメリカ合

インド
INDIA

カレー
Curry

タイ
THAILAND

ベトナム
VIET NAM

えび
Shrimp

フィリピン
PHILIPPINES

バナナ
Banana

インドネシア
INDONESIA

ンド 洋
IDIAN OCEAN

アメリ
UNITED
OF

オーストラリア
AUSTRALIA

牛肉
Beef

フィジー
FIJI

ラグビー
Rugby

ニュージーランド
NEW ZEALAND

コアラ
Koala

キウイフルーツ
Kiwi fruit

インド
नमस्ते
ナマステー
(ヒンディー語)

クリケット

オーストラリア
Hello
ハロー
(英語)

サーフィン

中 国
你 好
ニーハオ
(中国語)

太極拳

中国地方

㉛ 鳥取砂丘

㉜ 出雲大社

㉝ 後楽園

㉞ かき

㉟ 秋吉台

中部地方

⑮ 米

⑯ 立山

⑰ 兼六園

⑱ 東尋坊

⑲ ぶどう

⑳ 善光寺

㉑ 白川郷

㉒ 茶

㉓ 自動車

日本海

日本国

島根県㉜　鳥取県㉛
山口県㉟　広島県㉞　岡山県㉝　兵庫県㉘
㟢県㉜　福岡県㊵　佐賀県㊶
石川県⑰　富山県⑯　新潟県⑮
福井県⑱
長野県⑳　群馬県⑩　栃木県⑨
京都府㉖　滋賀県㉕　岐阜県㉑
大分県㊹　愛媛県㊳　香川県㊲　大阪府㉗　奈良県㉙　三重県㉔　愛知県㉓　山梨県⑲　埼玉県⑪　茨城県⑧
熊本県㊸　高知県㊴　徳島県㊱　和歌山県㉚　静岡県㉒　神奈川県⑭　東京都　千葉県⑫　⑬
宮崎県㊺
県㊻

四国地方

㊱ 阿波おどり

㊲ うどん

㊳ みかん

㊴ かつおの一本釣り

近畿地方

㉔ しんじゅ

㉕ 琵琶湖

㉖ 鹿苑寺（金閣寺）

㉗ 大仙（大山）古墳

㉘ 姫路城

㉙ 正倉院

㉚ うめ

北海道地方

① さけ

オホーツク海

北海道①

よりくわしい都道府県の地図
128〜129ページ

東北地方

② りんご

③ 南部鉄器

④ 松島

⑤ なまはげ

⑥ さくらんぼ

⑦ 磐梯山と猪苗代湖

青森県②

秋田県⑤

岩手県③

形県⑥

宮城県④

島県⑦

太
平
洋

関東地方

⑧ 偕楽園

⑨ 日光東照宮

⑩ だるま

⑪ ひな人形

⑫ らっかせい

⑬ 東京スカイツリー

⑭ みなとみらい21

あなたの住む都道府県には、
ほかにどんな有名なものがあるかな。
この地図帳のいろいろなページから
見つけてみよう。

この地図帳のコーナー

トライ！

地図のことに関する
さまざまな問題です。

8ページから16ページの
間に入っています。

地図マスターへの道

問題に正しく答えられたら、
☑に印（✓）をつけよう。

51 ☑ 　52 ☑★　53 ☑★★

（レベル1）　（レベル2）　（レベル3）

くわしい使い方
取り組みの記録
問題の答え
124ページ

この地図帳は6年生まで使います。 4年間でさまざまな
問題に何度もちょうせんして、地図マスターをめざそう。

ななめ上と真上の、見え方の
ちがいをくらべてみよう。

地図のきほん1　地図は土地のようすを上から見たもの

 小学校の体育館はどこにあるかな。ななめ上から見ると、わからないね。

 体育館の場所は真上から見るとわかるよ。
ななめ上から見るとかくれているものが、真上からだと見つけられるね。

 地図は、かくれるところがないように、真上から見たようすを表しています。

❶ ななめ上から見た学校のまわりのようす

空を飛ぶ鳥の目線で、学校のまわりを見てみよう。

ここから消防署に行くには、
どの道を通るとよいかな。

わたしたちのまちは、
大きな商店街が自まんだよ。
ほかには何があるかな。

学校を上から見てみよう

真横から見ると、
校舎の後ろ側に何があるかわからないね。

真上から見ると、
校舎にかくれていた赤い屋根の
体育館がちゃんと見えるよ。

ア 真横から見た学校

イ ななめ上から見た学校

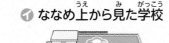

ウ 真上から見た学校

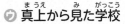

② 真上から見た学校のまわりのようす

トライ！

①と②の二つの図を見て答えよう

① ①図の中から りくさん を見つけて、いる場所を答えよう。

② すずめ市役所の後ろ側には何があるかな。

→ 答えは、次のページの下にあります。

地図ってなんだろう

校庭からさつえいしたドローンの映像で、小学校のまわりが地図になるようすを見てみよう。

地図の きほん2 　地図は土地のようすをわかりやすく表したもの

 写真と地図をくらべてみよう。どのようなちがいがあるかな。

 写真は、小さな家の一つ一つまで見つけることができるね。

 地図は、すっきりしていて、建物の場所や道路のつながりなどが見やすく、わかりやすくなるんだね。

① 真上から見たまちのようす（写真）

写真の下の方にある、大きな森は何かな。

それは古墳です。古墳とは、1000年以上前につくられた大きなお墓です。

トライ！ の答え：① 学校の校庭　② 公園

小学校のまわりが地図になるようすを見てみよう

道路は白い線にする、建物は形だけにする、といったように
ルールを決めて、かんたんに表したものが地図になります。

⑦ 真上から見た小学校の
まわり(写真)

⑦ 道路と鉄道を白い線で
表した小学校のまわり

⑦ 地図で表した
小学校のまわり

地図のやくそく

② 地図で表したまちのようす

地図を見ると、
さがしたい場所や
行きたいところが
わかりやすくなるね。

①と②の二つの図を見て答えよう

① 地図と写真で小学校を見つけて丸をつけよう。

② ①の写真にある 1 2 3 はそれぞれ何か、
②の地図からさがして答えよう。

→ 答えは、次のページの下にあります。

地図のやくそく（1） 方位

方位についてアニメーション で学べるよ。

3年生の学習

地図のなりたち

方位

地図記号

色（土地利用）

地図の やくそく1 地図は方位を使って向きを表します

 地図を見ると、中学校は小学校の右にあるね。

 わたしから見たら中学校は小学校の左にあるよ。
地図を見る向きによって右や左の方向がちがうときは、
どのように言えばいいのかな。

 そのようなときは、東西南北などの**方位**で表すと便利です。
地図にある**方位記号**で方位をたしかめることができます。

① 方位で正しい方向を表そう

⑦ 方向を表す「方位」

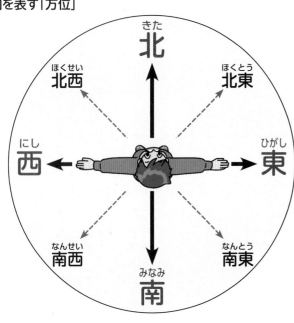

北の方向を向いて
立った場合、右手が東、
左手が西、背中が南の
方向になるよ。

東西南北の四方位だけでなく、
「北東」や「南西」のように、
さらに細かくしめした
八方位があります。

方位じしんの使い方

 方位を調べる道具を、方位じしんといいます。
色のついている針は、つねに北をさすように
なっていて、文字ばんの〈北〉を針の色の
ついた向きに合わせて、方位を調べます。

みんなの教室で東西南北を
調べて、右の□にかきこもう。

真上から見た教室のようす

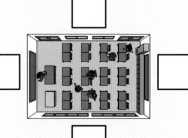

トライ！ の答え：② 1 さかいひがし駅　2 中学校　3 大仙(大山)古墳

② 地図で方位をたしかめよう

● 地図上で方位を表す さまざまな方位記号

北

北だけを
しめしたもの

四方位を
しめしたもの

八方位を
しめしたもの

地図はふつう、北を上にして
かかれています。方位記号が
かかれていない地図の多くは
上が北になります。

地図のやくそく

● 学校のまわりの地図

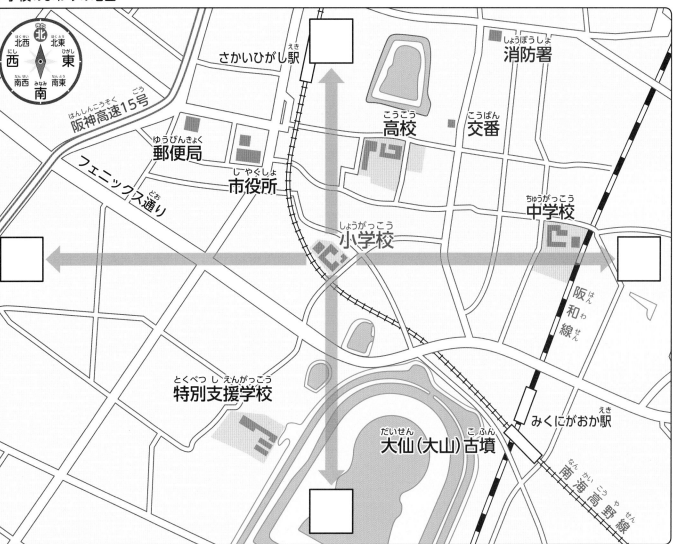

⑦の地図を見て答えよう

① 方位記号をたしかめて、地図中の□に正しい方位をかきこもう。

② 小学校から見た、大仙(大山)古墳の方位を答えよう。

③ 特別支援学校から見た市役所の方位は北です。
では、中学校から見た、小学校の方位は何か答えよう。

どこから見た方位か、
もとになる場所に
気をつけて考えよう。

→ 答えは、次のページの下にあります。

地図のやくそく(2)　地図記号

地図記号クイズにちょうせんしよう。

3年生の学習

地図のなりたち

方位

地図記号

色（土地利用）

地図のやくそく2　建物や土地のようすは地図記号を使って表します

 まちのようすを、絵や文字を使って地図にしてみたよ。

 りくさんの地図は絵や文字がいっぱいだね。
どうすればもっとすっきりした、わかりやすい地図になるのかな。

 そのようなときは、**地図記号**を使うとわかりやすくなります。
地図記号とは建物や土地のようすをかんたんなマークで表したものです。

① 地図記号を使おう

㋐ 絵で表した地図

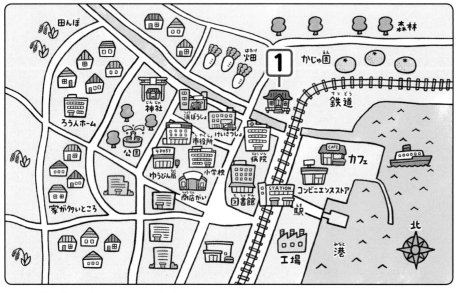

 地図記号で表すとだれが見てもわかりやすい地図になるね。

 地図のそばには下のような「記号の説明」もかきましょう。

㋑ 地図記号を使って表した地図

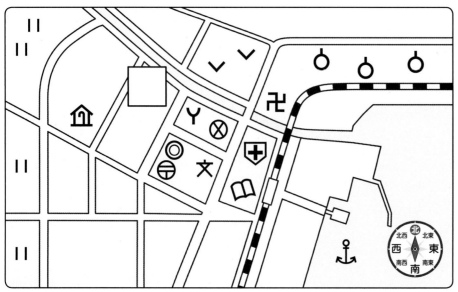

記号の説明

記号	説明	記号	説明
文	小学校	⚓	港
◎	市役所	日	神社
⊖	郵便局	卍	寺院(寺)
⊗	警察署	‖	田
Y	消防署	∨	畑
⊞	病院	○	果樹園
〔書〕	図書館	駅○	鉄道
〔老〕	老人ホーム		

地図のやくそく

② いろいろな地図記号

⑦ もの の形から生まれた地図記号

地図記号	地図記号のもとになったもの	地図記号	地図記号のもとになったもの
X 交番（こうばん）	警察官が持っている警棒を交差させた形。	Ⅱ 田（た）	稲をかり取ったあとの切り株の形。
Y 消防署（しょうぼうしょ）	昔、火事のときに火の広がりを防ぐために使ったさすまたの形。	∨ 畑（はたけ）	植物のふた葉の形。
开 神社（じんじゃ）	神社の入り口などにある鳥居（とりい）の形。	○ 果樹園（かじゅえん）（果物畑（くだものばたけ））	りんごやなしなどの果物を横から見た形。
📖 図書館（としょかん）	本を開いたときの形。	⚓ 港（みなと）	船をとどめるためのいかりの形。
🏛 博物館（はくぶつかん）・美術館（びじゅつかん）	博物館や美術館などの建物の形。	⟩⟨ 橋（はし）	橋を上から見た形。
城跡（しろあと）	城をつくるときに使われたなわばりの形。	駅 鉄道（てつどう）	線路と駅を上から見た形。
♨ 温泉（おんせん）	湯のわき出すところと湯けむりを組み合わせた形。	自然災害伝承碑（しぜんさいがいでんしょうひ）	記念碑の形と、碑にかかれた文字を表したもの。

⑪ 文字や記号から生まれた地図記号

地図記号	地図記号のもとになったもの
文 小学校・中学校（しょうがっこう・ちゅうがっこう）	文字の「文」を記号にしたもの。
〒 郵便局（ゆうびんきょく）	昔、郵便をあつかっていた逓信省（ていしんしょう）の「テ」を記号にしたもの。
✚ 病院（びょういん）	昔の衛生隊（えいせいたい）の印（しるし）を記号にしたもの。
卍 寺院（寺）（じいん（てら））	仏教（ぶっきょう）で使われる「卍（まんじ）」を記号にしたもの。

⑨ そのほかの地図記号

地図記号	地図記号のもとになったもの
◎ 市役所（しやくしょ）	建物の形に関係なく、市の中心にあることをイメージしたもの。
⌂ 老人ホーム（ろうじん）	建物とつえを合わせたもの。 ※小学生が考えたデザインです。

丸（まる）で囲（かこ）むと、別（べつ）のものを表（あらわ）す地図記号もあるんだよ。

X 交番（こうばん） ➡ ⊗ 警察署（けいさつしょ）

文 小学校・中学校（しょうがっこう・ちゅうがっこう） ➡ ⊗ 高校（こうこう）

※13～16ページの地図記号は、国土地理院（こくどちりいん）の記号を参考（さんこう）にしています。

トライ！

⑦と⑦の二つ（ふた）の地図（ちず）を見て答（こた）えよう

① ⑦の地図の ① の建物（たてもの）は何（なに）か、⑦の地図記号を見て答えよう。

② ⑦の地図の □ に入る地図記号を、「記号の説明（せつめい）」を見てかきこもう。

➡ 答（こた）えは、次（つぎ）のページの下（した）にあります。

地図のやくそく(3)　色(土地利用)

地図の色分けのクイズにちょうせんしよう。

地図のやくそく3　土地の使われ方(土地利用)は色で表します

13ページの地図の家やお店のように、地図記号で表せない場所はどうすればいいのかな。

そのようなところは、土地の使われ方で色分けしてみましょう。
例えば、下の地図では家が多いところを黄色で表しています。

色分けを使って表すと、その場所のようすがわかりやすくなるね。

1 土地の使われ方を色分けしよう

「色分けの説明」を地図のそばにかきましょう。

ア 土地利用で色分けした地図

家が多いところ

店や公共施設が多いところ

工場が多いところ

※地図記号の説明は13～14ページにあります。

色分けの説明

- 家が多いところ
- 店や公共施設が多いところ
- 工場が多いところ
- 田が広がるところ
- 畑が広がるところ
- 果樹園が広がるところ
- 森林など緑が多いところ

田が広がるところ

畑が広がるところ

果樹園が広がるところ

森林など緑が多いところ

トライ! の答え：① 寺院(寺)　② ⛩(神社)

たからさがしにちょうせんしよう

方位・地図記号・色（土地利用）について
ふり返りながら、たからをさがそう。

たからじまの地図

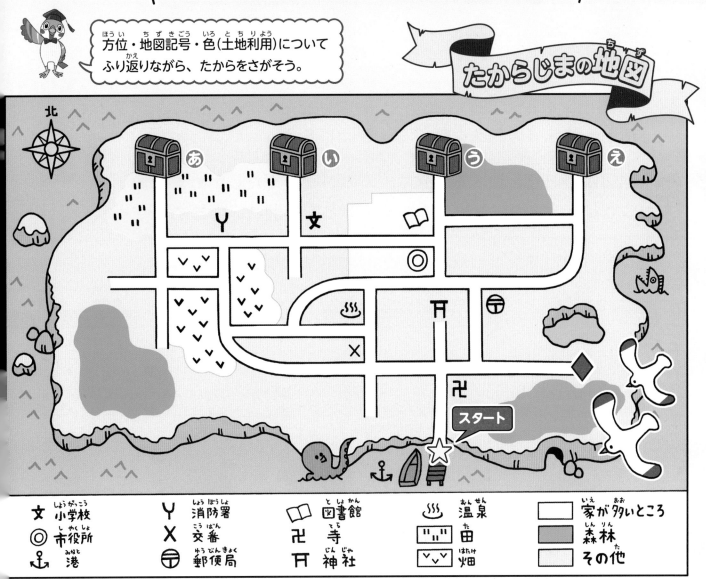

文 小学校	Y 消防署	📖 図書館	♨ 温泉	☐ 家が多いところ
◎ 市役所	X 交番	卍 寺	▦ 田	▨ 森林
⚓ 港	〒 郵便局	卄 神社	▨ 畑	☐ その他

地図のやくそく

トライ！ 上のたからじまの地図を見て答えよう

① 下の1〜5を手がかりにして、たからをさがそう。たからは、地図中の**あ**〜**え**のどこにあるかな。

1. ☆ スタート から北に進み、お寺のある交差点を西に進もう。
2. 交番を右に見ながら進み、畑に囲まれた道を北に向かおう。
3. 消防署のある道に出たら、東に進もう。
4. 家が多いところをぬけて、図書館がある交差点を北に進もう。
5. 東に森林が広がるところに、たからがあるよ。

建物だけでなく、
土地の使われ方
にも注目しよう。

② たからが ◆ の場所にあるときの小学校からの行き方を説明してみよう。

➡ 答えは、次のページの下にあります。

次のページからは、この地図帳の
使い方をたしかめていきましょう。

等高線の解説を
アニメーションで
見られるよ。

① 記号に注目しよう

21ページから始まる地図のページには記号がたくさんかいてあるね。
地図帳の記号の意味を調べるときはどうすればいいのかな。

地図帳の記号を調べるときは、このページでたしかめましょう。
こうした地図の記号や色の説明のことを**凡例**といいます。

日本

都市・境界の記号

都市の記号

- ⊡ 人口100万人以上の市
- ▣ 人口 50万人～100万人の市
- ◉ 人口 20万人～ 50万人の市
- ◎ 人口 10万人～ 20万人の市
- ⦿ 人口 10万人未満の市
- ○ 町
- ● 村
- ・ おもな字・旧市町村

■■●● 都・道・府・県庁の
　　　 ある都市

●◉◎⦿ 北海道の振興局の
　　　 ある都市

⬭ 都・道・府・県庁
（160万分の1と100万分の1の地図をのぞく）

［人口10万人～20万人とは、
人口10万人以上20万人未満の意味です。］

境界の記号

━━━ 外国との境界

━━━ 都・道・府・県の境界

━━━ 北海道の振興局の境界

［河川などと重なる場合は、
黒の線を省略していることもあります。］

地形の記号

- 〜〜 川
- ╾ 滝
- ▱ 湿地
- ▲ 3193 山頂 ［数字は高さ(m)］
- ▲ 3776 火山頂 ［数字は高さ(m)］
- ≍ 峠

交通の記号

陸上交通（鉄道・道路）の記号

- えき トンネル 建設中 新幹線
- えき トンネル 建設中 JR線
- えき トンネル 建設中 その他の鉄道線
- えき 地上 建設中 地下鉄
- インターチェンジ トンネル 建設中 高速道路
- トンネル 建設中 おもな自動車専用道路・有料道路
- <372>国道番号 トンネル 建設中 おもな道路
- ⟆ 橋

水上交通の記号

- ── 船の航路
- ⚓ 商港
- ⚓ 漁港
- ☼ 灯台

航空交通の記号

- ✈ 国際便のある空港
- ✈ その他の空港

環境の記号

- 知床 世界自然遺産
- 琵琶湖 ラムサール条約登録湿地
- ハクチョウ 貴重な動植物
- 世界ジオパーク
- 天然記念物

産業の記号

おもな農業・林業・水産業の産物記号

- 米
- とうもろこし
- かぼちゃ
- きゅうり
- さつまいも
- じゃがいも
- だいこん
- たまねぎ
- トマト
- なす
- にんじん
- ねぎ
- はくさい
- ピーマン
- いちご
- かき
- くり
- さくらんぼ
- すいか
- なし
- ぶどう
- みかん
- メロン
- もも
- りんご
- しいたけ
- 木材
- 肉牛
- 乳牛
- ぶた
- にわとり(卵用)
- にわとり(肉用)
- かき
- ほたて貝
- しんじゅ

おもな工業製品の記号

- 自動車
- 自動車部品
- 造船
- 製鉄・鉄鋼
- 集積回路
- 製油
- 化学
- 医薬品
- 食品
- その他の工場

エネルギー資源の記号

- ✕ 鉱山
- ⊗ 閉山した鉱山
- ✕ 炭田
- ♯ 油田
- ⋀ ガス田

発電所の記号

- ☼ 火力発電所
- ☼ 水力発電所
- ▨ 原子力発電所
- ☼ 地熱発電所
- ⋏ 風力発電所
- ☀ 太陽光発電所

文化・歴史の記号

- 原爆ドーム 世界文化遺産
- 桶狭間の戦い おもな歴史地名・事項
- ⛩ 神社
- 卍 寺院
- △ 城跡
- ⁝ 史跡・名勝
- ✕ 古戦場跡

その他の記号

- ┉┅ 用水路・運河
- ⟜ ダム
- ♨ 温泉
- ✛ 特色のある建物・その他の重要地点
- ○ 野球場
- ⚽ サッカー場
- 🐾 動物園
- ♪ 音楽のぶたい

トライ！の答え：① ③

記号を見ると地域の特色を知ることができるよ。

地図帳の使い方

② 色に注目しよう

 地図帳はたくさんの色でぬり分けられているね。それぞれどのような意味があるのかな。

 地図帳の色は、土地の使われ方や、陸の高さを表しています。下の図でたしかめてみましょう。

世界

都市・境界の記号

都市の記号

- ▣ 人口100万人以上の都市
- ▪ 人口 50万人～100万人の都市
- ◎ 人口 20万人～ 50万人の都市
- ◉ 人口 10万人～ 20万人の都市
- ○ 人口 10万人未満の都市

▣▪◉● 首都

境界の記号

―――― 世界の州境

―――― 国の境界

- - - - 確定していない国の境界

地形の記号

- ～～ 川
- ∴∴ 砂漠
- ⊢ 滝
- ☁ 氷雪地
- ▲8848 山頂
- ▲6261 火山頂 [数字は高さ(m)]
- ・－10920 海溝の一番深いところ(m)

交通の記号

―― おもな鉄道   ‥‥‥ おもな道路

産業の記号

- ✕ 炭田   ♯ 油田   ⋏ ガス田
- 日本が輸入しているおもなもの

その他の記号

- ✛ 特色のある建物
- • おもな歴史地名・名勝

土地の使われ方

- 果樹園
- 市街地
- 畑
- 田

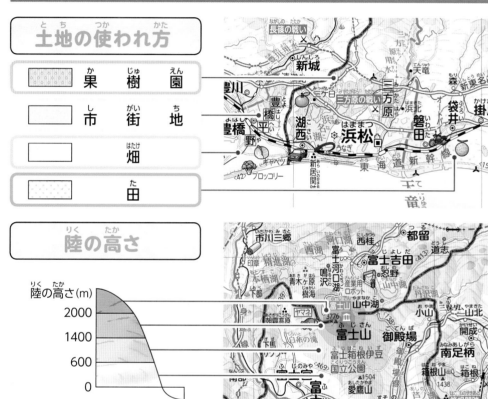

陸の高さ

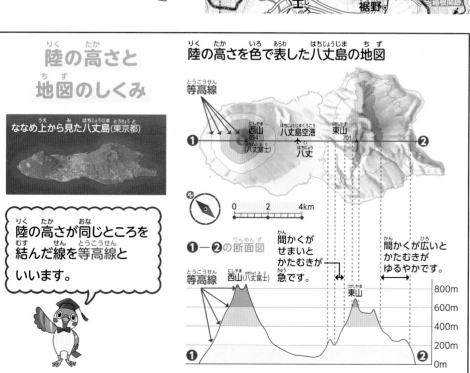

陸の高さと地図のしくみ

陸の高さが同じところを結んだ線を等高線といいます。

地図帳の使い方(2)　さくいん・縮尺・きょり

さくいんの使い方と、きょりの求め方をアニメーションで学べるよ。

記号と色（凡例）

さくいん・縮尺・きょり

❶ さくいんを使おう

このみかんがつくられた浜松の場所を地図帳で見つけるには、どうすればいいのかな。

地図帳で地名をさがすときには、**さくいん**を使いましょう。
さくいんには、地名が地図帳のどこにあるのかがまとめられています。

さくいんの使い方～浜松を例に～

ステップ1 115～123ページのさくいんを開こう

① 「はままつ」の1文字目の「は」をさがそう。

② 次に、2文字目の「ま」をさがそう。

③ 「はままつ」を見つけたら、ページと、たての列・横の行の記号を確認しよう。

ステップ2 地図のページを開こう

④ さくいんに書いてある「ページ」の番号を確認して58ページを開こう。

⑤ 「列の記号」の エ と「行の記号」の 7 をさがして、交差したマス目に「はままつ」があるよ。

は
○はえばる　南風原[沖縄] ………… 33 ②ア4
○はが　芳賀[栃木] ………………… 63 カ4
⋮
□はまだ　浜田[島根] ……………… 39 エ4
○はまとんべつ　浜頓別[北海道]…… 77 エ1
○はまなか　浜中[北海道] ………… 78 キ3
はまなこ　浜名湖 ………………… 58 エ7
□はままつ　浜松[静岡] …………… 58 エ7
□はむら　羽村[東京] ……………… 65 エ3
○はやかわ　早川[山梨] …………… 58 オ6

さくいんの地名は、国語辞典のように五十音順に並んでいるね。

□ はままつ　浜松[静岡] ……………… 58 エ7

| 地名の種類 | 地名(五十音順) | 都道府県名 | ページ | 列の記号 | 行の記号 |

マス目の見方は時間割の見方と似ているね。

② 縮尺のしくみときょりの求め方を知ろう

 地図のタイトルの右にかいてある100万分の1のような数字は
どのような意味があるのかな。

 それは**縮尺**といい、地図がじっさいのきょりをどれくらい縮めたのかを
表した値です。目的に応じて縮尺のちがう地図を使い分けましょう。
また、「地図のものさし」を使うとじっさいのきょりが求められます。

地図帳の使い方

⑦ 57ページの地図のタイトル

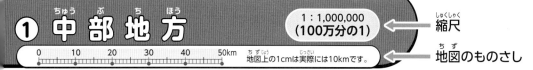

① **中部地方**　1：1,000,000（100万分の1）← 縮尺

0　10　20　30　40　50km　地図上の1cmは実際には10kmです。← 地図のものさし

① 縮尺による地図の使い分け

広く見わたす地図 21〜30ページ　　**地方を見る地図／くわしく見る地図 33〜80ページ**

1：1,600,000（160万分の1）
0　10 1620　30km
地図上の1cmは実際には16kmです。
→ 都道府県の形や有名なものがわかります。

1：1,000,000（100万分の1）
0　10　20km
地図上の1cmは実際には10kmです。
→ 地名や産業など、都道府県の特色が確認できます。

1：500,000（50万分の1）
0　5　10km
地図上の1cmは実際には5kmです。
→ 地域のようすがさらにくわしくわかります。

広く見わたす地図 25〜26ページ

地方を見る地図 57〜58ページ

くわしく見る地図 59〜60ページ

※このほかに、20万分の1や5万分の1の地図などの よりくわしい地図もあります。

きょりの求め方〜浜松市と豊橋市〜

① 二つの市の、都市の記号と記号の間の長さを、ものさしではかってみよう。

 地図の上ではかると、約3cmだよ。

② はかった長さを「地図のものさし」に当てて、じっさいのきょりを調べよう。

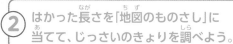
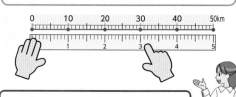

「地図のものさし」に当てはめると、じっさいのきょりは約30kmとわかるね。

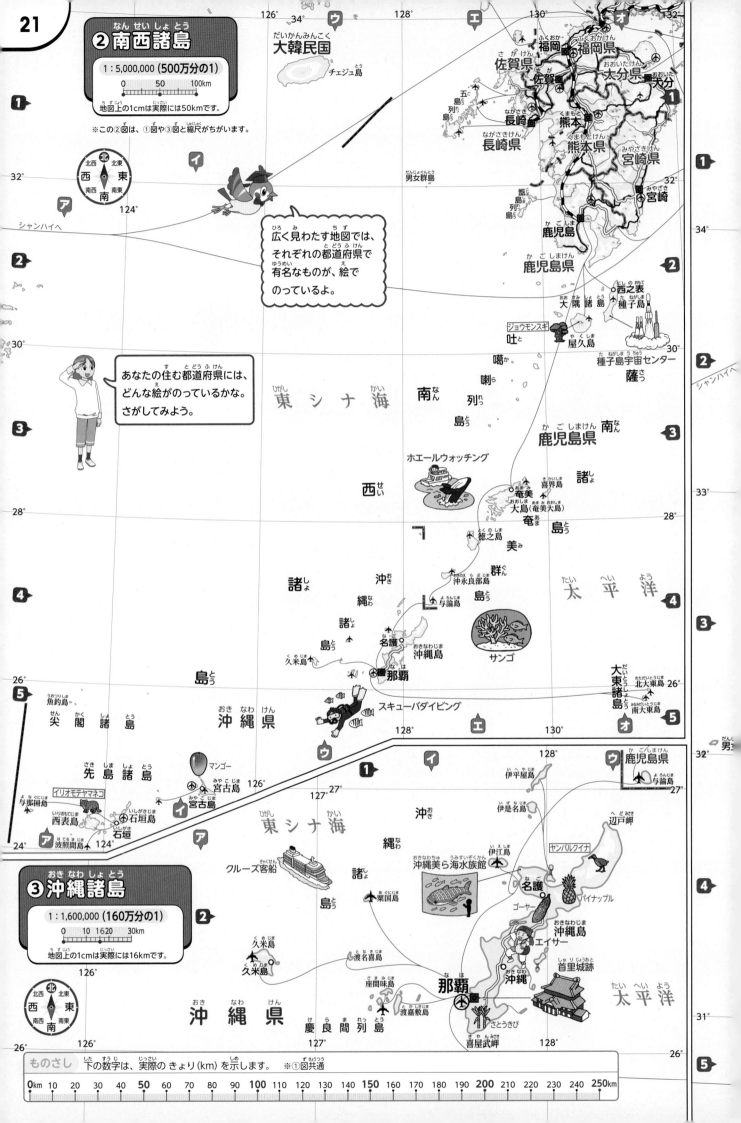

① 図　② 図　③ 図

位置（いち）

北西（ほくせい）　北（きた）　北東（ほくとう）
西（にし）　　　　　　　　　　東（ひがし）
南西（なんせい）　南（みなみ）　南東（なんとう）
南（みなみ）

129°

日本海（にほんかい）

韓崎（からさき）

ツシマヤマネコ

対馬（つしま）

イ　プサンへ

長崎県（ながさきけん）

対馬（つしま）

神崎（かみざき）

クルーズ客船（きゃくせん）

沖ノ島（おきのしま）

ウ

130°

エ

131°

132°

津和野（つわの）

島根県（しまねけん）

萩（はぎ）

SLやまぐち号

長門（ながと）

秋吉台（あきよしだい）

山口（やまぐち）

山口県（やまぐちけん）

周南（しゅうなん）

34°

宇部（うべ）

下関（しものせき）

北九州（きたきゅうしゅう）

瀬戸内海（せとないかい）

中津（なかつ）

国東半島（くにさきはんとう）

車両（しゃりょう）

壱岐（いき）

壱岐（いき）

玄界灘（げんかいなだ）

博多祇園山笠（はかたぎおんやまかさ）

遠賀川（おんががわ）

自動車（じどうしゃ）

23
24

2

広く見わたす地図

唐津くんち（からつ）

福岡県（ふくおかけん）

飯塚（いいづか）

山（やま）地

別府温泉（べっぷおんせん）

平戸（ひらど）

平戸島（ひらどしま）

唐津（からつ）

福岡（ふくおか）

筑（ちく）紫（し）

吉野ヶ里遺跡（よしのがりいせき）

太宰府天満宮（だざいふてんまんぐう）

日田（ひた）

大分自動車道（おおいたじどうしゃどう）

別府（べっぷ）

別府湾（べっぷわん）

33°

佐賀県（さがけん）

鳥栖（とす）

久留米（くるめ）

いちご

木材（もくざい）

大分（おおいた）

臼杵（うすき）

佐世保（させぼ）

伊万里（いまり）

佐賀（さが）

筑（ちく）後（ご）

平（ひら）野（の）

久大本線（きゅうだいほんせん）

ハウステンボス

伊万里焼、有田焼（いまりやき、ありたやき）

のり

筑後川（ちくごがわ）

大分県（おおいたけん）

臼杵磨崖仏（うすきまがいぶつ）

大牟田（おおむた）

有明海（ありあけかい）

すいか

阿蘇（あそ）

豊肥本線（ほうひほんせん）

竹田（たけた）

佐伯（さいき）

中通島（なかどおりじま）

長崎県（ながさきけん）

カステラ

諫早（いさはや）

島原半島（しまばらはんとう）

島原（しまばら）

阿蘇山（あそさん）

かぼす

山（やま）地

五（ご）島（しま）列（れっ）島（とう）

江島（えじま）

会群（かいぐん）

長崎（ながさき）

雲仙岳（うんぜんだけ）

熊本（くまもと）

熊本城（くまもとじょう）

高千穂峡（たかちほきょう）

延岡（のべおか）

びわ

端島（軍艦島）（はしま ぐんかんじま）

熊本県（くまもとけん）

トマト

九（きゅう）州（しゅう）山（さん）地（ち）

天草（あまくさ）

上島（かみしま）

八代（やつしろ）

八（や）代（つ）

い草（いぐさ）

日向（ひゅうが）

耳川（みみかわ）

下島（しもしま）

天草諸島（あまくさしょとう）

天草（あまくさ）

代（しろ）海（かい）

宮崎県（みやざきけん）

教会群（きょうかいぐん）

球磨川（くまがわ）

東（ひがし）九（きゅう）州（しゅう）自（じ）動（どう）車（しゃ）道（どう）

日豊本線（にっぽうほんせん）

水俣（みなまた）

人吉（ひとよし）

マンゴー

きゅうり

小林（こばやし）

32°

霧島山（きりしまやま）

にわとり（肉用）（にくよう）

宮崎（みやざき）

大淀川（おおよどがわ）

地図（ちず）マスターへの道（みち）

1
3年
21ページで、沖縄県（おきなわけん）にある
水族館（すいぞくかん）をさがしてみよう。

2
3年
22ページで、福岡市（ふくおかし）から
鹿児島市（かごしまし）まで、新幹線（しんかんせん）の
線路（せんろ）（━━）を指（ゆび）で
たどってみよう。

鹿児島県（かごしまけん）

川内川（せんだいがわ）

薩摩川内（さつませんだい）

甑島列島（こしきじまれっとう）

霧島（きりしま）

都城（みやこのじょう）

宮崎自動車道（みやざきじどうしゃどう）

フェニックス並木（なみき）

日南（にちなん）

の高さ（たかさ）(m)

1400
600
200
0

②図、③図共通（きょうつう）

鹿児島（かごしま）

薩摩焼（さつまやき）

桜島（さくらじま）

肉牛（にくぎゅう）

志布志（しぶし）

都井岬（といみさき）

4

薩摩半島（さつまはんとう）

鹿児島湾（かごしまわん）

鹿屋（かのや）

大隅（おおすみ）

ぶた

枕崎（まくらざき）

さつまいも（いけだこ）

池田湖（いけだこ）

指宿（いぶすき）

大隅半島（おおすみはんとう）

県庁のある都市（けんちょうのあるとし）
その他のおもな市・町（た のおもなし・まち）
その他の記号は（た のきごうは）
17ページ
②図、③図共通（きょうつう）

坊ノ岬（ぼうのみさき）

かつおぶし

開聞岳（かいもんだけ）

東シナ海（ひがしシナかい）

黒島（くろしま）

硫黄島（いおうじま）

大（おお）隅（すみ）諸（しょ）島（とう）

イ　シャンハイへ

130°

129°

ウ

131°

大（おお）隅（すみ）海（かい）峡（きょう）

佐多岬（さたみさき）

種子島（たねがしま）

太平洋（たいへいよう）

神戸へ（こうべ）

31°

大阪へ（おおさか）

5

エ

132°

0　10 1620　30km
地図上の1cmは実際には16kmです。※②図共通

北西　北　北東
西　　　東
南西　南　南東

② 竹島
37°20'
竹島
島根県
132°

② 図
① 図
位置

陸の高さ(m)
1400
600
200
0
※②図共通

◎ 府・県庁のある都市
○ その他のおもな市・町
➡ その他の記号は
　17ページ

島後
隠岐諸島
島前　島根県
オオミズナギドリ

いか釣り船の漁り火

出雲大社
島根半島
松江
境港
米子
大山
宍道湖
出雲
安来節
雲州そろばん
道後山

島　根　県
石見銀山
江の川
江津
浜田
石見神楽
三次
中
吉　備
広　島　県
益田
鷺舞
原爆ドーム
福山
尾道

松下村塾
津和野
SLやまぐち号
錦帯橋
広島
自動車
呉
しまなみ海道
今治
タオル
新居浜
石鎚山
松山
道後温泉
松山自動車道
よさこい祭り
四　国

見島
長門
萩
秋吉台
山口
山　口　県
岩国
厳島神社
かき
レモン
瀬

下関
宇部
周南
山陽本線
屋代島（大島）
車両
瀬

シャンハイへ
遠賀川
北九州
玄界灘
鹿児島本線
山陽新幹線
飯塚
福　岡　県
中津
国東半島
佐田岬半島
八幡浜
みかん
愛　媛　県
高　知　県

福岡
太宰府天満宮
筑紫
鳥栖
久留米
いちご
佐賀
佐賀県
平野
日田
大分自動車道
別府温泉
別府
別府湾
大分
臼杵
豊後水道
宇和島
たい
あまなつ
四万十川
かつおの一本

有明海
大牟田
すいか
阿蘇
阿蘇山
豊肥本線
竹田
臼杵磨崖仏
佐伯
大　分　県
四万十川
土佐清水
足摺岬

雲仙岳
島原
熊本
熊本城
長崎県
九州新幹線
熊　本　県
宮　崎　県
延岡

宮崎・志布志・シャンハイへ

21-22

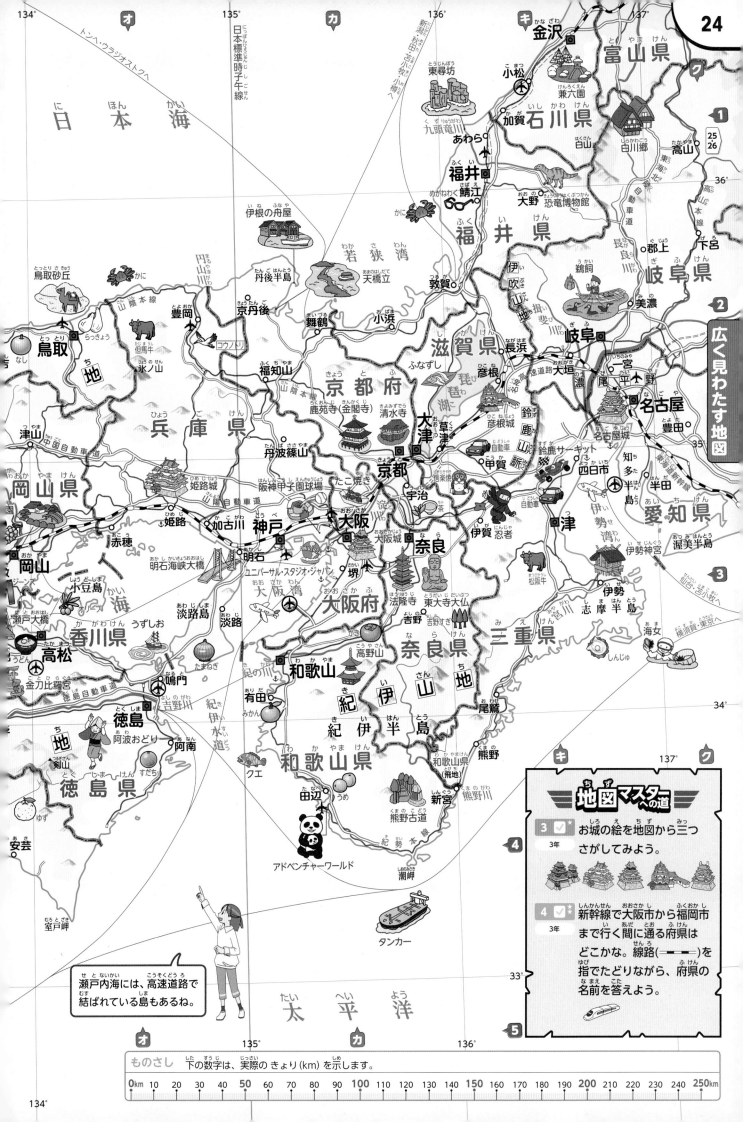

広く見わたす地図

地図の主な地名・項目

134° 135° 日本標準時子午線 136° 137°

オ カ キ ク

ト ン へ ・ ウ ラ ジ オ ス ト ク へ

新潟・秋田・古川・小牧・小樽へ

日 本 海

金沢
富山県
小松
兼六園
東尋坊
九頭竜川
加賀 石川県
あわら
白山
白川郷
高山
25 26
1

36°

福井
鯖江
めがねわく
大野
恐竜博物館
郡上
下呂

2

伊根の舟屋
若 狭 湾
かに
敦賀
福 井 県
鵜飼
岐阜県

鳥取砂丘
かに
丹後半島
天橋立
伊吹山地
美濃

円山川
京丹後
舞鶴
小浜
滋賀県
長浜
岐阜

鳥取
豊岡
コウノトリ
福知山
ふなずし
彦根
大垣
濃尾平野
尾張
名古屋

地
但馬牛
氷ノ山
京 都 府
鹿苑寺(金閣寺)
清水寺
大津
彦根城
鹿
鈴鹿山脈
名古屋城
豊田
35°

兵 庫 県
丹波篠山
京都
草津
甲賀
信楽焼
鈴鹿サーキット
四日市
知多半島
半田
愛 知 県

津山
中国自動車道
姫路城
山陽自動車道
阪神甲子園球場
たこ焼き
宇治
茶
伊賀忍者
津
伊勢湾

岡 山 県
姫路
加古川
神戸
大阪
大阪城
奈良

岡山
赤穂
明石
明石海峡大橋
ユニバーサル・スタジオ・ジャパン
堺
法隆寺
東大寺大仏
伊勢
伊勢神宮
渥美半島

3

小豆島
オリーブ
瀬戸大橋
淡路島
うずしお
淡路
大阪湾
大阪府
高野山
吉野
吉野すぎ
奈 良 県
松阪牛
志摩半島
海女
しんじゅ

香 川 県
高松
鳴門
たまねぎ
和歌山
有田
みかん
紀の川
伊
山
地
三 重 県

金刀比羅宮
徳島自動車道
吉野川
紀 伊 半 島
尾鷲

34°

剣山
阿波おどり
すだち
クエ
うめ
和 歌 山 県
和歌山県
(飛地)
熊野
熊野川

徳島
阿南
田辺
新宮
熊野古道

地
徳 島 県
ゆず
安芸
アドベンチャーワールド
潮岬
紀勢本線

4

室戸岬

瀬戸内海には、高速道路で
結ばれている島もあるね。

タンカー

5

33°

太 平 洋

134° 135° 136° 137°

ものさし 下の数字は、実際のきょり(km)を示します。

0km 10 20 30 40 50 60 70 80 90 100 110 120 130 140 150 160 170 180 190 200 210 220 230 240 250km

---

地図マスターへの道

3 ✓ お城の絵を地図から三つ
3年 さがしてみよう。

4 ✓ 新幹線で大阪市から福岡市
3年 まで行く間に通る府県は
どこかな。線路(━━)を
指でたどりながら、府県の
名前を答えよう。

① 広く見わたす地図 中部・関東地方

1：1,600,000（160万分の1）

0 10 16 20 30km 地図上の1cmは実際には16kmです。

位置

① 図

北西 北 北東
西 東
南西 南 南東

陸の高さ(m)

1400
600
200
0

日本標準時子午線

都・府・県庁のある都市
その他のおもな市・町
その他の記号は17ページ

フェリー

日 本 海

舳倉島

佐渡金銀山

佐渡

佐渡島

珠洲
白米千枚田
輪島
輪島塗
能登半島
七尾

しんきろう

富山湾

魚津
神通川
黒部川
黒部ダム
立山

上越
糸魚川
ひすい
北陸自動車道
北陸新幹線
飯山
善光寺
スキー場
長野
須坂

石川県

庄川
高岡
加賀友禅

富山
砺波
チューリップ球根

富山県

飛騨

長野県

東尋坊

金沢
兼六園

小松

加賀
九頭竜川

あわら

福井
めがねわく
鯖江
かに

伊根の舟屋

福井県

若狭湾

丹後半島
天橋立

京丹後

舞鶴
小浜
敦賀

福知山

京都府

鹿苑寺（金閣寺）
清水寺

丹波篠山

兵庫県

神戸
ユニバーサル・スタジオ・ジャパン

大阪
大阪城

大阪府

大阪湾

大野
恐竜博物館

大津
草津
甲賀

滋賀県
長浜
彦根
琵琶湖
彦根城
鈴鹿山脈

京都
たこ焼き
宇治
茶

忍者

伊賀

奈良
法隆寺

奈良県

伊勢

伊吹山
揖斐川
長良川
鵜飼
美濃

岐阜県
郡上
下呂
御嶽山

白山
白川郷
高山
高山祭
乗鞍岳
穂高岳

木曽川
飯田
リニア中央新幹線（予定）
恵那
美濃焼

岐阜
大垣
一宮
名鉄
尾
平野
名古屋
名古屋城
鈴鹿サーキット
鈴鹿
自動車

四日市
知多半島
伊勢湾
半田

三重県

松阪牛

津
伊勢神宮

渥美半島
メロン
キャベツ

木曽山脈

飛騨山脈

赤石山脈
南アルプス
北岳

中央自動車道
伊那
木曽

松本
松本城
御柱祭
諏訪
諏訪湖
八ヶ岳

上田

山梨県

ほうとう

愛知県
豊田
岡崎
八丁みそ

豊橋
浜名湖
浜松
天竜川

静岡県

静岡
焼津

みかん
オートバイ
掛川
新東名高速道路
東名高速道路
大井川
御前崎
菊
茶

広く見わたす地図

139°　140°　141°　142°

1
宮城県
石巻　牡鹿半島
牛タン
仙台　松島
山形新幹線
最上川
山形　蔵王山
西洋なし
山形県
村上　米沢　阿武隈川　38°
栗島
秋田・青森・小樽へ
羽越本線
越
チューリップ
信濃川　阿賀野川
新潟　新発田
後
福島県
2
上越新幹線
新潟県
越
喜多方　磐梯山　南相馬
会津若松　相馬野馬追
魚沼　若松城(鶴ヶ城)　福島県
米　赤べこ　猪苗代湖　郡山　隈
南魚沼　大内宿　阿武隈川
脈　尾瀬ヶ原　那須岳　白河　いわき　37°
東照宮　那須塩原　スパリゾートハワイアンズ
群馬県　男体山
中禅寺湖　日光　太平洋
沼田　栃木県
3
赤城山　ぎょうざ　宇都宮
前橋　足利　栃木　いちご
高崎　太田　小山　納豆　水戸
熊谷　古河　筑波山　偕楽園　日立
くり　茨城県　フェリー
荒川　つくば　野　土浦
埼玉県　関　東　霞ヶ浦　鹿嶋　36°
秩父　川越　れんこん　鹿島神宮
秩父夜祭　所沢　柏
さいたま　東京ディズニーランド　利根川
東京都　立川　東京スカイツリー　成田　犬吠埼
甲州　八王子　らっかせい　銚子　総武本線
大月　東京
富士若田　相模原　千葉　九十九里浜
神奈川県　川崎　市原
富士　横浜　千葉県　**4**
鎌倉　みなとみらい21
小田原　横須賀　房総半島
箱根駅伝　鎌倉大仏　鴨川
熱海　相模湾　館山
沼津　ペリー　鴨川シーワールド
伊豆半島　三宅島・三原山・八丈島へ
下田　大島　三原山
石廊崎　小笠原へ　**5**
コンテナ船　おがさわら丸

キ　クウ
142°

地図マスターへの道

5 ☑ 3年　富士山をさがしてみよう。どの県とどの県にまたがっているかな。

6 ☑ 3年　食べてみたいなと思うものの絵を、地図から一つさがしてみよう。何県にあるかな。

7 ☑ 地図の使い方　京都市から静岡市までの地図上の長さは、およそ15cmだよ。実際のきょりは、およそ何kmかな。

ヒント：26ページの下にあるものさしにじょうぎをあててみよう。

ものさし　下の数字は、実際のきょり(km)を示します。

0km 10 20 30 40 50 60 70 80 90 100 110 120 130 140 150 160 170 180 190 200 210 220 230 240 250km

ものさし　下の数字は、実際の きょり(km)を示します。

0km 10 20 30 40 50 60 70 80 90 100 110 120 130 140 150 160 170 180 190 200 210 220 230 240 250km

①広く見わたす地図

1：1,600,000（160万分の1）

東北地方

位置

陸の高さ(m)
1400
600
200
0

県庁のある都市
その他のおもな市・町

北海道の地域分け
渡島　総合振興局・振興局
総合振興局・振興局のある市
その他の記号は17ページ

❶広く見わたす地図 北海道地方

1：1,600,000（160万分の1）

0　10 1620　30km

地図上の1cmは実際には16kmです。

①図
②図
位置

陸の高さ(m)

1400
600
200
0

※①②図共通

道庁のある都市
○　その他のおもな市・町

北海道の地域分け

釧路　総合振興局・振興局
●　総合振興局・振興局のある市・町
➡　その他の記号は17ページ

北北東　北東　東
北西　　　　　東
西　　　　　東
南西　　　南東
南

日　本　海

稚内
宗谷岬
ほたて貝
礼文島
礼文
うに
利尻富士
利尻山
利尻島
利尻こんぶ
天塩島
ウミガラス
焼尻島
羽幌
留萌
増毛
留萌
深川
ジンギスカン
木材
旭川
旭山動物園
美瑛
大雪山
十勝岳
富良野
にんじん
夕張
メロン

宗谷
乳牛
豊富
天塩川
枝幸
かに
雄武
北見
天塩山地
美深
名寄
アスパラガス
士別
スキージャンプ
かぼちゃ
そば
上川

石狩
石狩湾
石狩川
ほっけ
ソーラン節
神威岬
積丹半島
余市
小樽
ぶどう
後志
倶知安
スキー場
ニセコ
羊蹄山
ゆりね
寿都
すっつ
洞爺湖
有珠山
昭和新山
長万部
八雲
内浦湾
室蘭
チキウ岬
登別
白老
ウポイ
苫小牧
平取
アットゥシ織
日高
新ひだか
日高
日高こんぶ
浦河

空知
滝川
米
岩見沢
札幌
さっぽろ雪まつり
支笏湖
千歳
紙
胆振
フェリー

夕張山地

フェリー

檜山
せたな
渡島
奥尻島
奥尻
うに
半島
渡島
駒ケ岳
江差
檜山
五稜郭跡
函館
木古内
真こんぶ
恵山岬
いか釣り船の漁火
まぐろ
大間
松前
青森県

八戸・仙台・大洗・名古屋へ

27-28

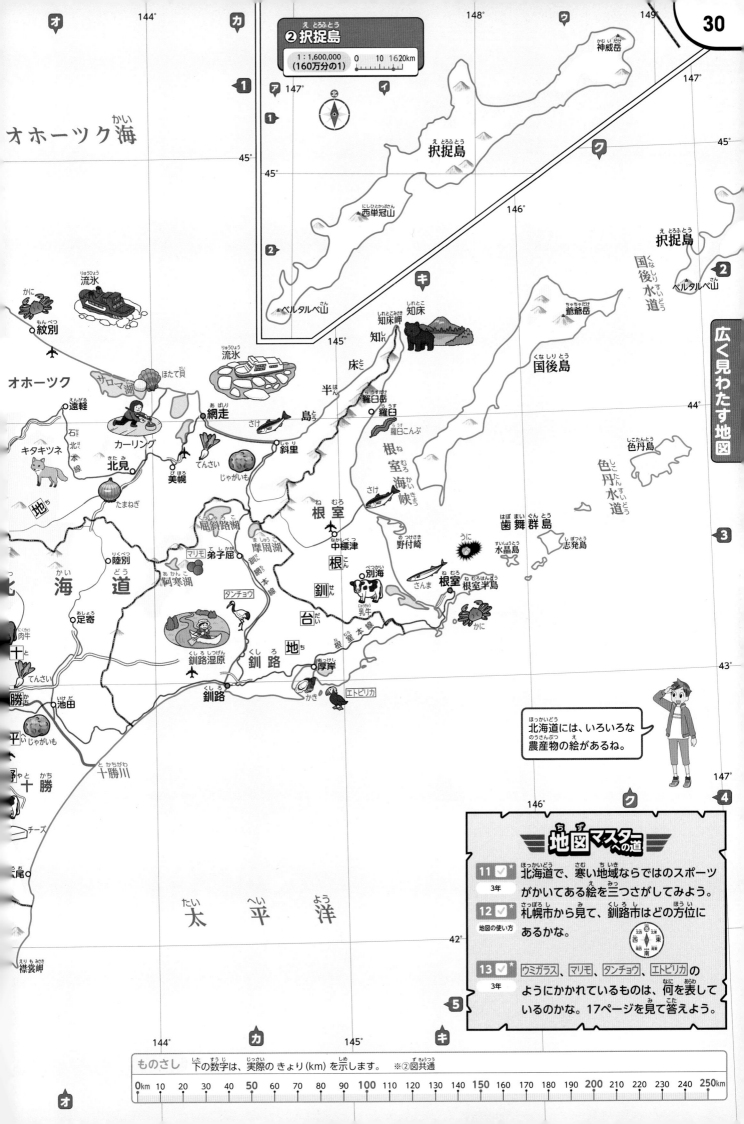

オホーツク海

② 択捉島
1：1,600,000
（160万分の1）
0 10 1620km

択捉島

西単冠山

択捉島

国後水道

ベルタルベ山

流氷
紋別

オホーツク

かに

流氷
ほたて貝
サロマ湖

カーリング
石北本線
キタキツネ

遠軽

北見
美幌
たまねぎ

地

てんさい
じゃがいも
網走
斜里

ベルタルベ山

知床岬
知床
床
半島

知

羅臼岳
羅臼
羅臼こんぶ

国後島

爺爺岳

色丹島

色丹水道

根室海峡
さけ

根室

陸別

屈斜路湖

マリモ
弟子屈
阿寒湖

摩周湖
釧網本線
タンチョウ

中標津
野付崎

歯舞群島

水晶島

志発島

うに

北海道

足寄

肉牛

根
釧
台
地

別海
乳牛

さんま

根室
根室半島

かに

十
勝

てんさい

池田

釧路湿原

釧路
厚岸

かき
エトピリカ

じゃがいも

平

十勝川

チーズ

北海道には、いろいろな
農産物の絵があるね。

襟裳岬

太平洋

広く見わたす地図

地図マスターへの道

11 ☑ ★
3年
北海道で、寒い地域ならではのスポーツ
がかいてある絵を三つさがしてみよう。

12 ☑ ★
地図の使い方
札幌市から見て、釧路市はどの方位に
あるかな。

13 ☑ ★
3年
ウミガラス 、 マリモ 、 タンチョウ 、 エトピリカ の
ようにかかれているものは、何を表して
いるのかな。17ページを見て答えよう。

ものさし　下の数字は、実際の きょり（km）を示します。　※②図共通
0km 10 20 30 40 50 60 70 80 90 100 110 120 130 140 150 160 170 180 190 200 210 220 230 240 250km

❶日本の領土とそのまわり

1：20,000,000
（2000万分の1）

0　200　400　600　800　1000km
東京からのきょりと方位が正しい地図

❷国の範囲（模式図）

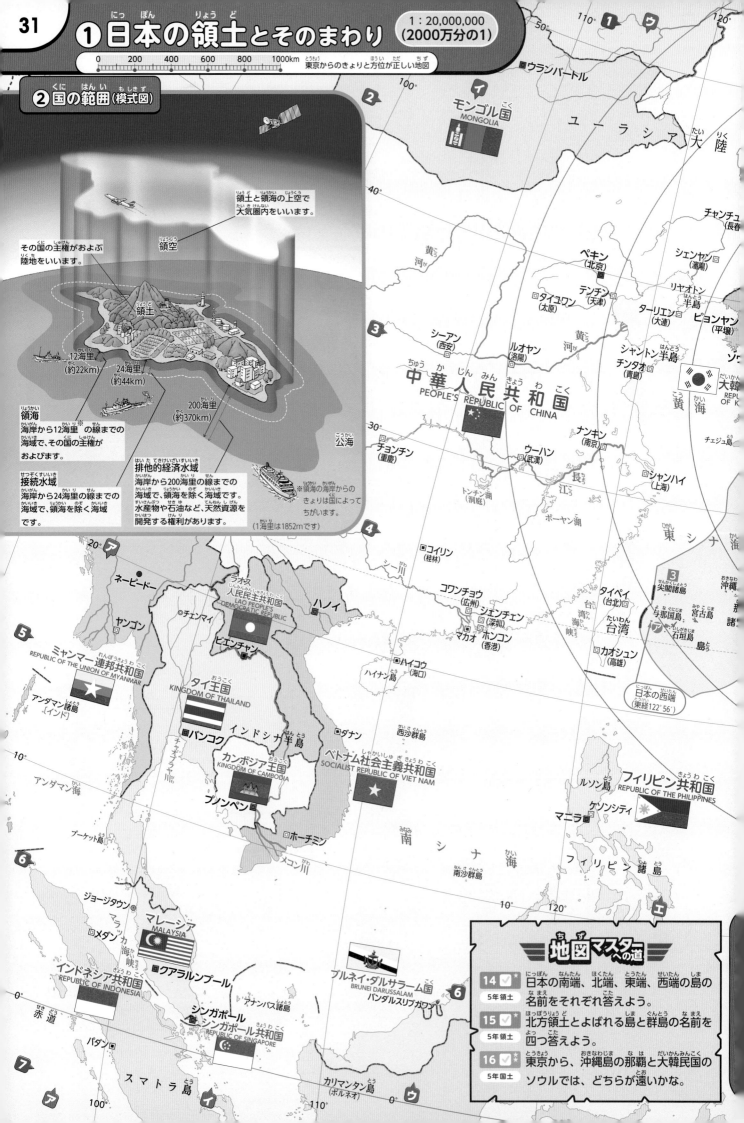

領土と領海の上空で大気圏内をいいます。

領空

その国の主権がおよぶ陸地をいいます。

領土

12海里（約22km）
24海里（約44km）
200海里（約370km）

領海
海岸から12海里の線までの海域で、その国の主権がおよびます。

接続水域
海岸から24海里の線までの海域で、領海を除く海域です。

排他的経済水域
海岸から200海里の線までの海域で、領海を除く海域です。水産物や石油など、天然資源を開発する権利があります。

公海

※領海の海岸からのきょりは国によってちがいます。

（1海里は1852mです）

地図マスターへの道

14 5年領土
日本の南端、北端、東端、西端の島の名前をそれぞれ答えよう。

15 5年領土
北方領土とよばれる島と群島の名前を四つ答えよう。

16 5年国土
東京から、沖縄島の那覇と大韓民国のソウルでは、どちらが遠いかな。

地図上の地名

ロシア連邦 RUSSIAN FEDERATION
オホーツク海
カムチャツカ半島
パラムシル（幌筵）島
樺太（サハリン）
間宮海峡
ハバロフスク
千島列島
ウルップ島（得撫）
日本の北端（北緯45°33′）
択捉島
国後島
北方領土
色丹島
歯舞群島
北海道
札幌
ウラジオストク
朝鮮民主主義人民共和国 DEMOCRATIC PEOPLE'S REPUBLIC OF KOREA
青森
ウルルン島
日本海
竹島
隠岐諸島
佐渡島
新潟
仙台
本州
対馬
広島
名古屋
大阪
福岡
四国
九州
東京
日本国 JAPAN
伊豆諸島
八丈島
種子島
（奄美大島）
小笠原諸島
父島
母島
大東諸島
火山列島
硫黄島
太平洋
日本の東端（東経153°59′）
南鳥島
北回帰線
日本の南端（北緯20°26′）
沖ノ鳥島
マリアナ諸島
北マリアナ諸島〔アメリカ合衆国〕
サイパン島
グアム島〔アメリカ合衆国〕

東京から500km
東京から1000km
東京から1500km
東京から2000km
東京から2500km

この白い地域は、日本が領有を放棄した地域ですが、現在は帰属が未定になっています。

①図の範囲

凡例

日本の所属界
日本の排他的経済水域（注1、2および②図参照）
ア～エ 写真の位置 ① ② ③
(注1)経済水域および大陸棚に関する法律にしたがって引かれた線。
(注2)線の一部については関係する近隣諸国と話し合っています。
➡ その他の記号は18ページ

④ 日本固有の領土

1 北方領土（北海道）

国後島

写真は知床半島から見た国後島です。北方領土は日本固有の領土ですが、ロシアが不法に占拠しています。

2 竹島（島根県）

島根半島の沖に位置する日本固有の領土ですが、韓国が不法に占拠しています。

3 尖閣諸島（沖縄県）

魚釣島

日本固有の領土です。一番奥に見えるのが諸島の中で最も大きな魚釣島です。

四端の写真

ⓐ 西端 与那国島（沖縄県）
約1600人が住む島で、漁業や農業がさかんです。空港もあり、人々が自由に行くことができます。

ⓘ 南端 沖ノ鳥島（東京都）
周囲約11kmのサンゴ礁の島です。無人ですが観測所があります。

ⓤ 東端 南鳥島（東京都）
サンゴ礁の島で、定住者はいませんが、気象庁や国土交通省などの職員が交代制で仕事をしています。

ⓣ 北端 択捉島（北海道）
1945年から国後島、色丹島、歯舞群島とともにロシア（当時はソビエト連邦）に占拠されたままで、自由に行き来できません。

① 南西諸島

1：3,000,000
（300万分の1）

47都道府県地図

0　30　60　90　120　150km
地図上の1cmは実際には30kmです。

② 沖縄島

1：500,000（50万分の1）

0　5　10km
地図上の1cmは実際には5kmです。

位置

北　北東
北西
西　　東
南西　南東
南

沖縄島の総面積にしめるアメリカ軍専用施設の割合
－2021年－ 総面積 1209km²

アメリカ軍専用施設 14.4
その他（森林、耕地など）85.6%

〔沖縄県資料〕

地図マスターへの道

17 ✓★ 沖縄県にある、台湾に一番近い島の名前を答えよう。

18 ✓★ 5年 気候と生活　沖縄島には果物の記号が三種類あるよ。それぞれさがしてみよう。

19 ✓★★ 5年 国土　沖縄島の総面積にしめるアメリカ軍専用施設の割合を答えよう。また、地図で場所を確認してみよう。

北　北東
北西
西　　東
南西　南東
南

市街地
田畑
園地その他
果樹業
工

海の深さ(m)
200
1000
2000
4000

◆ 製糖工場
▢ アメリカ軍専用施設
サンゴ礁
※③図〜⑥図共通
➡ その他の記号は17ページ

製糖工場では何をつくっているのかな。

沖縄県

沖縄海岸国定公園
やんばる国立公園
辺戸岬
奥
ヤンバルクイナ
国頭
クチゲラ
与那覇岳 503▲
沖縄島北部
安波ダム
福地ダム
大宜味
喜如嘉の芭蕉布
福地川
東
平南川
マングローブ
シークヮーサー

屋那覇島
伊平屋島
伊是名島
伊江空港
備瀬崎
伊江島
今帰仁城跡
古宇利島
沖縄美ら海水族館
沖縄記念公園海洋博公園
今帰仁
運天
屋我地島
宮城島
本部半島
八重岳
本部
453▲
水納島
瀬底島
パイナップル
名護
屋部
名護岳
名護湾
ブセナビーチ

沖縄海岸国定公園
万座毛
恩納岳
恩納
谷茶前
残波岬
泡瀬
読谷山花織
座喜味城跡
読谷壺屋焼
米軍上陸地
比謝川
嘉手納
喜友名
北谷
普天間基地
園比屋武御嶽石門
玉陵
ペリー上陸地
那覇
那覇空港
豊見城
南風原
八重瀬
東風平
玉泉洞
糸満
ひめゆりの塔
331▲
喜屋武岬
摩文仁
平和の礎
平和祈念公園
沖縄戦跡国定公園
港川人
奥武島
具志頭
佐敷
知念
斎場御嶽
南城
久高島
玉城
与那原
知名崎
南風原
首里城跡
識名園
西原
浦添
中城城跡
中城
宜野湾
津堅島
ガンナ崎
浮原島
うるしま嘉島
平安座島
石油備蓄基地
海中道路
浜比嘉島
勝連
勝連城
与勝城
宮城島
伊計島
漢那ダム
宜野座
辺野古崎
大浦湾
石川岳 204▲
石川
金武湾
金武
金武ダム
沖縄自動車道
中城

沖縄島

太平洋

琉球諸島
縄
⑤Ⓐ図
粟国島
粟国
久米島
久米島
渡名喜
渡名喜
座間味
渡嘉敷
慶良間諸島国立公園
慶良間列島

台湾
キールン

尖閣諸島（石垣市）
魚釣島
南小島
久場島
大正島

先島諸島
八重山列島
西表石垣国立公園
③B図
与那国
与那国島
※竹富町役場は石垣市にあります
西表島
中御神島
新城島
黒島
波照間島
③C図

③D図
伊良部島
水納島
多良間
多良間島
宮古島
宮古島
③A図
③E図
宮古列島

先島諸島

B 123°
与那国
与那国空港
与那国島

C 123°50'
波照間空港
波照間島（竹富町）

① 九州地方

1：1,000,000
（100万分の1）

地図上の1cmは実際には10kmです。

くわしく見る地図 37〜38ページ

山口県

島根県

愛媛県

大分県

大分県

熊本県

福岡県

佐賀県

長崎県

長崎県

地図マスターへの道

20 ★ 熊本県にあるみかんの仲間のデコポン🍊をさがしてみよう。

21 ▶ 九州地方で、田が一番広がっている平野かな。
5年 農業

22 ▶ 福岡県の宮若市と芳田町、大分県の中津市に共通する工業は何かな。
5年 工業

ヒント：□ に注目しよう。

④ 大隅諸島

1：1,000,000
（100万分の1）

0 ────── 10km

② 対馬

長崎県

1：1,000,000
（100万分の1）

0 ────── 10km

③ 五島列島

長崎県

1：1,000,000
（100万分の1）

0 ────── 10km

① 長崎県

九州地方

大隅海峡

33-34

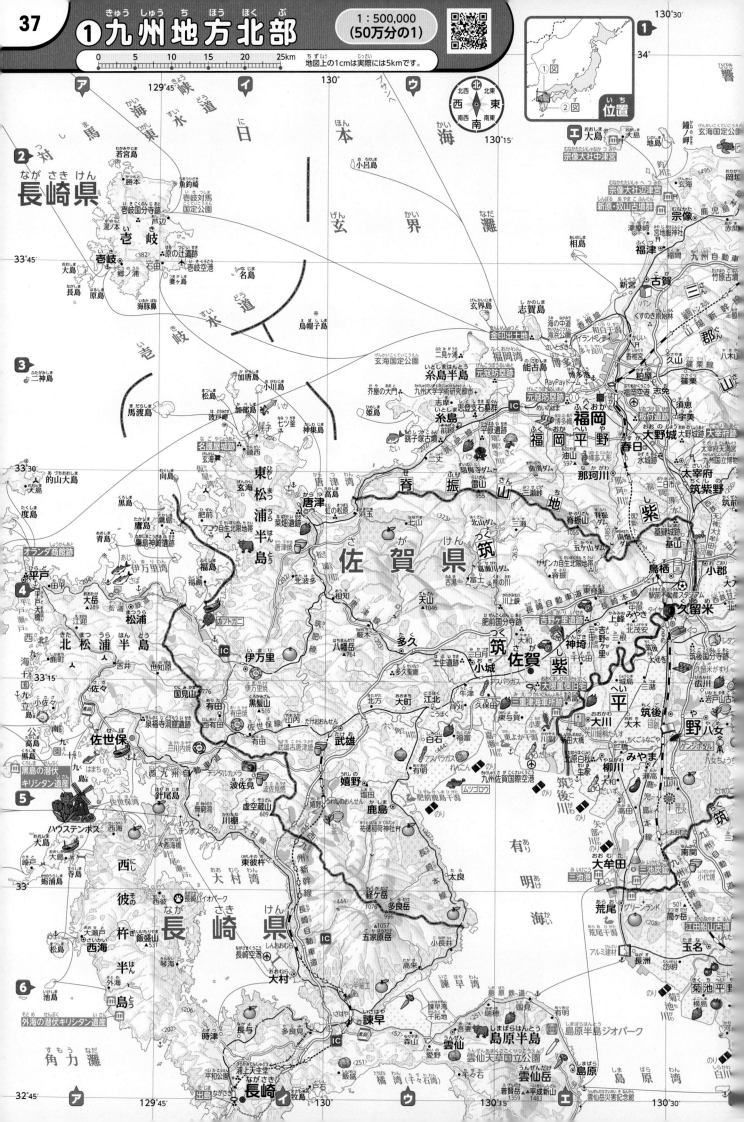

地図マスターへの道

23 ☑ 鳥取県にある、米子鬼太郎空港⊛と鳥取砂丘コナン空港✈をさがしてみよう。

24 ☑★ 中国地方で一番高い山は何mあるかな。
ヒント：火山頂▲の山だよ。陸の高さの色にも注目しよう。

陸の高さ(m) 1400 / 600 / 0

25 ☑★★ 中国地方の県庁のある都市で、人口が最も多いのはどこかな。
4年 都道府県
ヒント：都市の人口規模は、17ページの「都市の記号」で確認できるよ。

① 四国地方

1：1,000,000
（100万分の1）

0 10 20 30 40 50km
地図上の1cmは実際には10kmです。

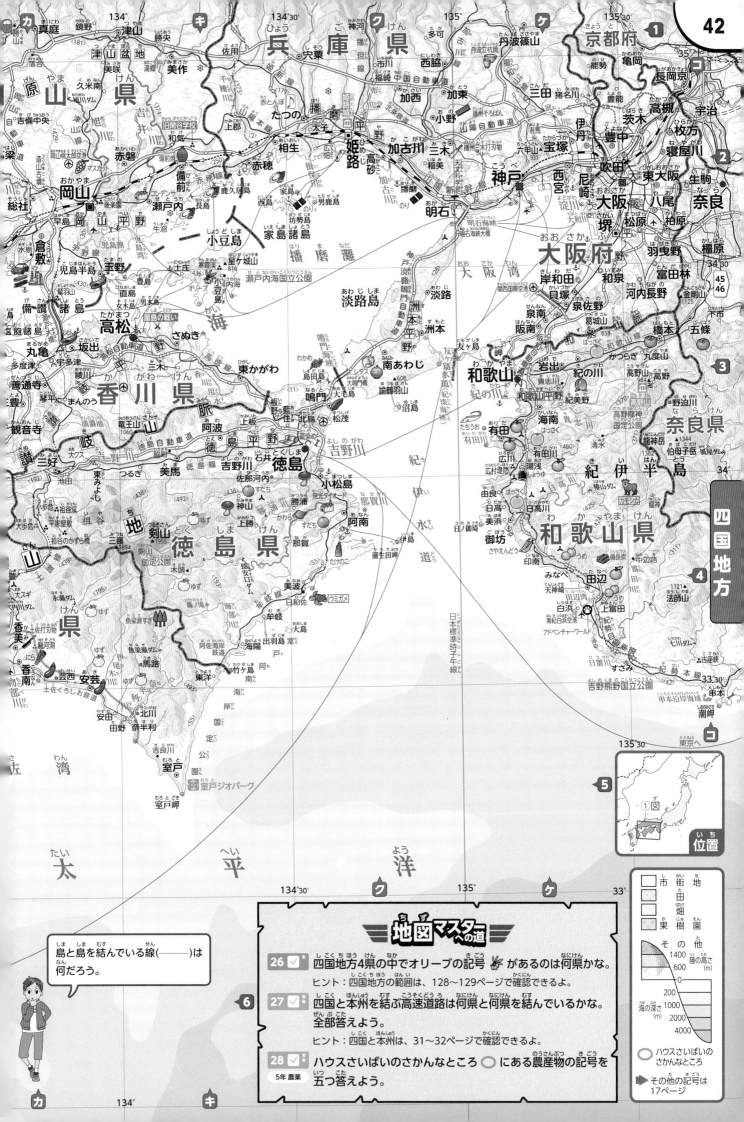

四国地方

島と島を結んでいる線(———)は何だろう。

地図マスターへの道

26 ☑ 四国地方4県の中でオリーブの記号 があるのは何県かな。
ヒント：四国地方の範囲は、128〜129ページで確認できるよ。

27 ☑★ 四国と本州を結ぶ高速道路は何県と何県を結んでいるかな。全部答えよう。
ヒント：四国と本州は、31〜32ページで確認できるよ。

28 ☑★ 5年農業 ハウスさいばいのさかんなところ ◯ にある農産物の記号を五つ答えよう。

市街地
田畑
果樹園
その他

陸の高さ(m) 1400 600 200 0
海の深さ(m) 200 1000 2000 4000

ハウスさいばいのさかんなところ
その他の記号は17ページ

位置 ①図

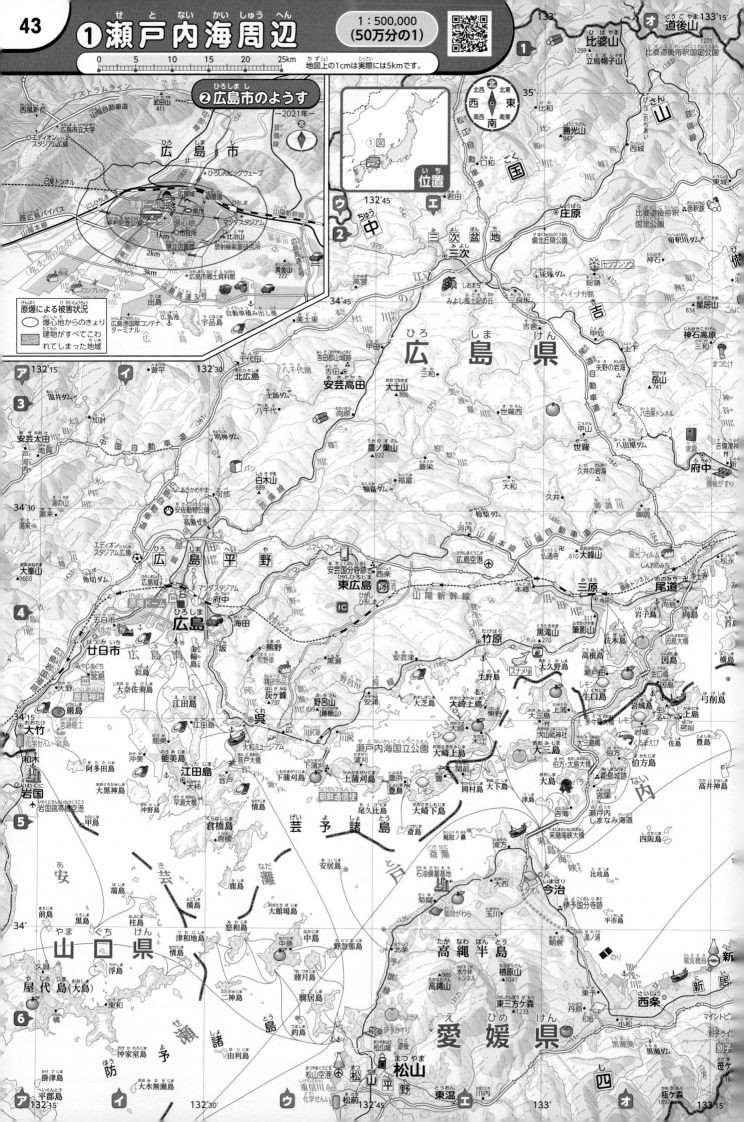

① 近畿地方

1:1,000,000
（100万分の1）
地図上の1cmは実際には10kmです。

0　10　20　30　40　50km

地図でチャレンジ

29 ★ たぬきの焼き物 🏺 をさがしてみよう。
　ヒント：滋賀県にあるよ。

30 ★ 5年国土 日本標準時子午線上に都市の記号があるのは何市かな。

31 ★ 5年農業 近畿地方で、果樹園が一番広がっているのは何県かな。また、そこにある果樹の記号を一つ答えよう。
　ヒント：果樹園の記号 🍎 に注目しよう。

くわしく見る名地図　47～48ページ

市　街　田　果　そ　地　園
　　地　畑　樹　の　　
　　　　　　園　他

その他の記号は17ページ

東経135度は、日本の時刻の基準になっている線で、「日本標準時子午線」とよばれているよ。

石川県

富山県

岐阜県

福井県

滋賀県

日本海

若狭湾

近江盆地

近畿地方

1：500,000
（50万分の1）

0 5 10 15 20 25km
地図上の1cmは実際には5kmです。
ちずじょう　　　　　　　　　　　じっさい

①図
位置
いち

北西 北 北東
西 　　　東
南西 南 南東

①

岡山県
おかやまけん

兵　庫　県
ひょう　　　ご　　　けん

福知山盆地
ふくちやまぼんち

福知山

綾部

丹波
たんば

氷上

三国岳
855

水分れ公園

柏原

丹波篠山
たんばささやま

篠山盆地
ささやまぼんち

三国ケ岳
648▲

三田

神戸
こうべ

ポートアイランド

和歌山
わかやま

関西国際空港
かんさいこくさいくうこう

りんくうタウン

泉南
せんなん

阪南
はんなん

大阪
おおさか

瀬戸内海
せとないかい

播磨灘
はりまなだ

小豆島
しょうどしま

淡路島
あわじしま

洲本平野
すもとへいや

三原平野
みはらへいや

南あわじ

鳴門
なると

徳島県
とくしまけん

香川県
かがわけん

東かがわ

徳島
とくしま

吉野川
よしのがわ

姫路
ひめじ

姫路城
ひめじじょう

家島諸島
いえしましょとう

赤穂
あこう

相生
あいおい

たつの

太子
たいし

明石
あかし

明石海峡
あかしかいきょう

加古川
かこがわ

高砂
たかさご

瀬戸内海国立公園
せとないかいこくりつこうえん

兵庫県広域防災
センター

三木

小野
おの

加東

加西
かさい

西脇
にしわき

日本へそ公園
にほんへそこうえん

段ケ峰
1103

千ケ峰
1005

朝来

竹田城跡
たけだじょうあと

宍粟
しそう

山崎
やまさき

雪彦山
915▲

書写山
しょしゃざん

円教寺
えんきょうじ

播
はり

磨
ま

平
へい

野
や

大阪
おおさか

ユニバーサル
スタジオ・

和歌山県
わかやまけん

紀の川
きのかわ

有田
ありだ

海南
かいなん

日本標準時子午線
にほんひょうじゅんじしごせん

近畿地方

オ

135°30′ 135°32′ 135°34′ ク

山陽新幹線

阪急宝塚線

十三バイパス

新十三大橋

淀川区役所

阪急京都線

御堂筋線

新大阪

崇禅寺

しんおおさか

東淀川区

柴島浄水場

水道記念館

淀川大ぜき

毛馬閘門

吉原線北方線

阪神高速12号

大枝公園

守口市

守口市役所

守口市クリーンセンター

鶴見焼却工場

花博記念公園

鶴見緑地

近畿自動車道

34°44′

1

2

城北公園

淀川河川公園

旭区

旭区役所

旭公園

森小路遺跡

京阪本線

今里筋線

城東浄水場

都島区

旧淀川

天神橋筋商店街

市立総合医療センター

JRのえ

長堀鶴見緑地線

鶴見区役所

梅田スカイビル

グランフロント大阪

毎日放送

扇町公園

関西テレビ

北区役所

露天神社

北区

梅田

おおさか

朝日放送

都島区役所

毛馬桜之宮公園

大塩平八郎の乱

大阪天満宮

造幣局

読売テレビ

中浜下水処理場

城東区

今福下水処理場

鶴見区

寝屋川

34°42′

3

国立国際美術館

市立科学館

大阪国際会議場

中之島

市場

千日前線

大阪市役所

緒方洪庵適塾

中央公会堂

中之島公園

大阪城

大阪ホール

第二寝屋川

学研都市線

川俣水みらいセンター

北御堂

本町

阪神高速1号

大阪城公園

大阪公立大学(予定地)

放出下水処理場

長瀬川

西区

西区役所

阿波座

船場

中央区

谷町

心斎橋

国立大阪医療センター

難波宮跡

大阪府庁

府警本部

NHK

豊国神社

大阪歴史博物館

中央区役所

中央大通

長堀通

大阪市

阪神高速13号

平野今里

高井田

東成区

中央線

町工場

近畿地方

堀江

ドーム大阪前

アメリカ村

戎橋

道頓堀

国立文楽劇場

高津宮

真田山公園

東成区役所

近鉄大阪線

東大阪市

JRかわちえいわ

近鉄奈良線

34°40′

浪速区

難波

なんばグランド花月

なんばパークス

浪速役所

生国魂神社

天王寺区

コリアタウン

御勝山古墳

生野区

生野区役所

司馬遼太郎記念館

JRしゅんとくみち

今宮戎神社

通天閣

天王寺動物園

天王寺区役所

四天王寺

浪速国分寺跡

天王寺公園

大阪環状線

西成区

津守下水処理場

城公園

大阪府

中央卸売市場東部市場

巽東緑地

JRながせ

4

南津守さくら公園

あべのハルカス

阪堺線

あべの

あべの筋

あべの上町線

阿倍野区役所

近鉄南大阪線

東部市場前

百済貨物ターミナル

平野下水処理場

近鉄大阪線

34°38′

阪神高速15号

桃ヶ池公園

阿部野神社

阿倍野区

御堂筋線

阪神高速14号

杭全神社

関西本線(大和路線)

国道25号

谷町線

平野川

久宝寺緑地

5

国道26号

帝塚山古墳

万代池公園

南海高野線

東住吉区役所

東住吉区

平野区役所

平野区

八尾市

近畿自動車道

府立大阪急性期・総合医療センター

住吉大社

住吉区

住吉区役所

ヤンマースタジアム長居

長居公園

市立長居植物園

市立自然史博物館

長居公園通

きれうりわり

オ 135°30′ カ 135°32′ キ 135°34′ ク

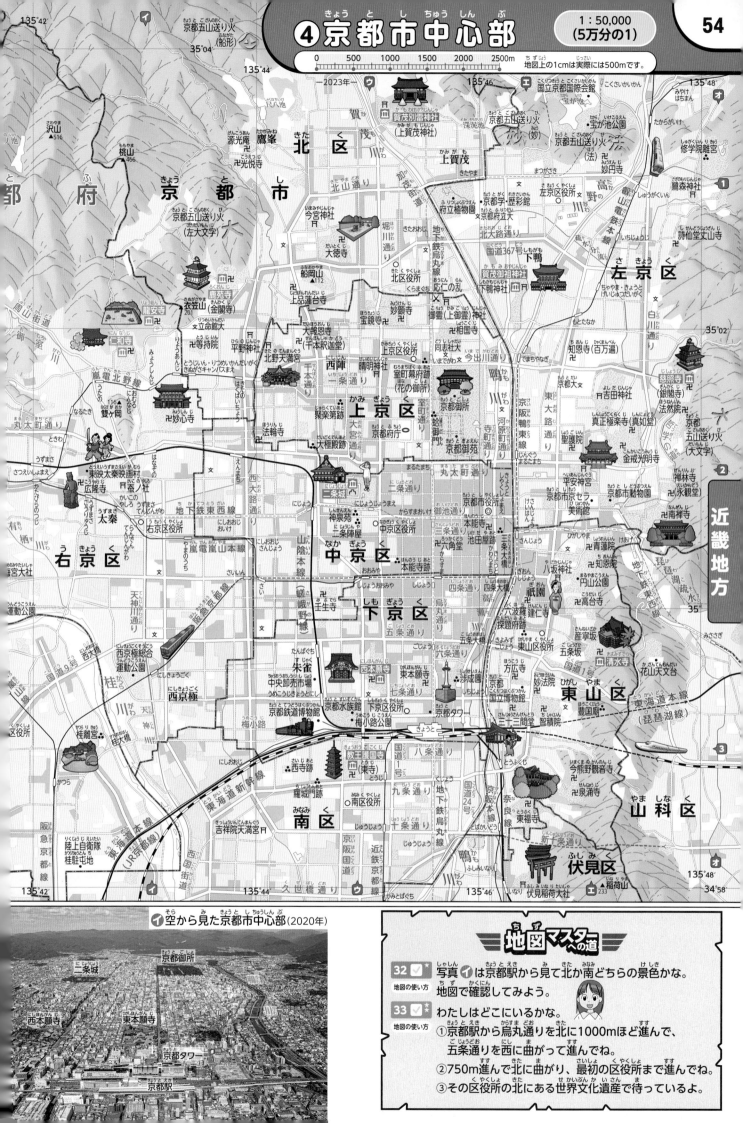

0　500　1000　1500　2000　2500m
地図上の1cmは実際には500mです。

―2023年―

空から見た京都市中心部（2020年）

地図マスターへの道

32 地図の使い方　写真イは京都駅から見て北か南どちらの景色かな。地図で確認してみよう。

33 地図の使い方　わたしはどこにいるかな。
①京都駅から烏丸通りを北に1000mほど進んで、五条通りを西に曲がって進んでね。
②750m進んで北に曲がり、最初の区役所まで進んでね。
③その区役所の北にある世界文化遺産で待っているよ。

① 江戸時代の結びつき 歴史

関ヶ原の戦い

凡例（地図）

- ■ おもな戦国大名の城（大名名）
- 東海道 五街道と宿場
- 水戸街道 その他のおもな街道
- ‡箱根関 おもな関所
- 加賀藩の参勤交代ルートの例（ア参照）
- --- おもな航路
- しょうゆ 各地のおもな産物

現代
- ◎ 都府県庁所在地
- ◉ おもな市
- ・ おもな字

参勤交代

わたしたちは、京都から江戸に向かうところです。江戸までの道のりを、ななめ上から見た地図で確認しましょう。→69〜70ページ

馬で荷物を運ぶ人
さばを運ぶ人
朝鮮通信使
薬売り

2 街道を行きかう人々

ア 加賀藩参勤交代の例（1829年）

3月14日	金沢出発〜今石動	泊	①	北国街道
15日	高岡	泊	②	
16日	魚津	泊	③	
17日	泊	泊	④	
18日	能生	泊	⑤	
19日	高田	泊	⑥	
20日	野尻	泊	⑦	
21日	矢代	泊	⑧	
22日	小諸	泊	⑨	
23日	板鼻	泊	⑩	中山道
24日	熊谷	泊	⑪	
25日	浦和	泊	⑫	
26日	江戸到着		⑬	

〔加賀藩資料〕

イ 浮世絵に見る江戸時代の東海道の旅 （歌川広重作『東海道五十三次』）

a 三条大橋（京都）
京都は朝廷があった当時の都で、東海道五十三次の起終点でした。後ろの緑色の山は清水山で、中腹に清水寺が描かれています。

b 宿場町の本陣のようす（関）
街道の途中には宿泊や休けいができる宿場がおかれました。参勤交代で移動中の大名は、本陣という特別な宿にとまりました。

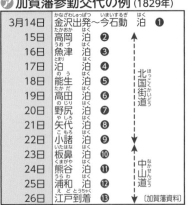

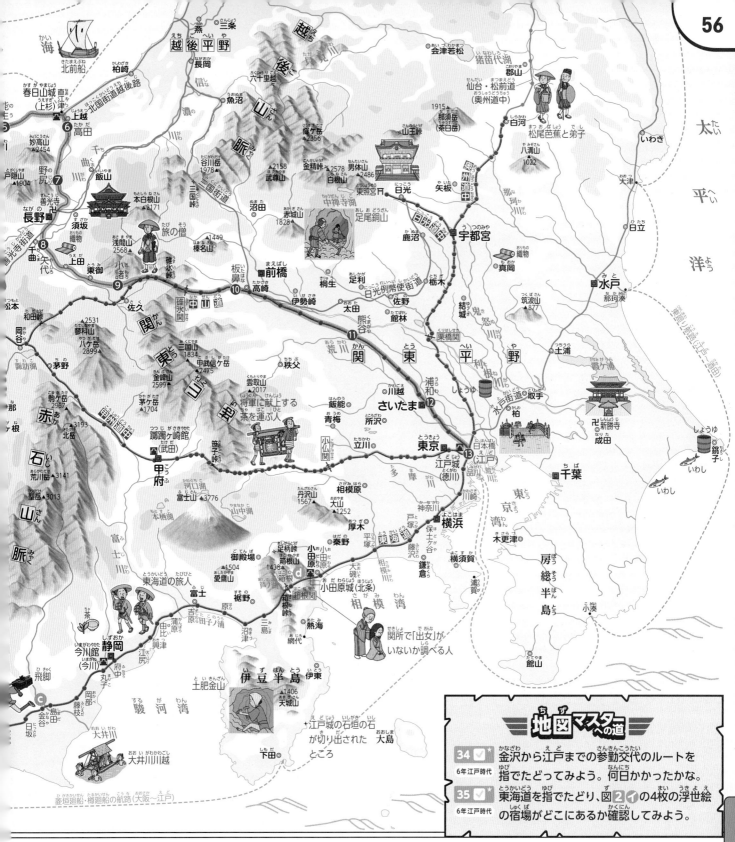

56

地図マスターへの道

34 6年 江戸時代
金沢から江戸までの参勤交代のルートを指でたどってみよう。何日かかったかな。

35 6年 江戸時代
東海道を指でたどり、図2イの4枚の浮世絵の宿場がどこにあるか確認してみよう。

⑦ 江戸（東京）〜京都の所要時間

江戸時代	徒歩（成人男子、東海道経由）	約14日
	飛脚（継飛脚、東海道経由）	2〜3日
	徒歩（成人男子、中山道経由）	約16日
現在	東海道新幹線のぞみ	2時間10分

〔国土交通省資料、ほか〕

⑧ 船で全国に運ばれたもの

米　しょうゆ　酒　こんぶ

資料図

大井川の川越（金谷）
攻めてくるのを防ぐため、幕府は大井川に橋をかけることを禁止しました。旅人は台にのったり、かつがれたりして川を渡ります。

d 難所だった箱根の山越え（箱根）
箱根の急な山道は、東海道の難所として知られるようになりました。左側には芦ノ湖が見え、箱根のけわしい山が描かれています。

❷洪水への備え
-濃尾平野の輪中-

堤防と道路
水屋
母屋
川
畑

輪中の家
かんがい水路
田
畑

大垣市　　　　　　　　　　　　　　　　　　　　　　2021年　　安八町

養老町
輪之内町
岐阜県
羽島市
海津市歴史
民俗資料館

海津市

堤防

長良川

揖斐川

高須輪中排水機場

木曽三川公園

愛西市

木曽川

桑名市

油島千本松締切堤

三重県　宝暦治水碑　愛知県

川の水面より低いところ
●-1　標高(m)

長野県

山梨県

静岡県

駿河湾

太平洋

地図マスターへの道

60ページの❷図を見て、川の水面より
低いところ◯をたどってみよう。

市街地
田
畑
茶畑
果樹園
工業地
その他

陸の高さ(m)
2000
1400
600

海の深さ(m)
200
1000
2000

その他の記号は
17ページ

地図上の1cmは実際には3kmです。

0　3　6　9　12　15km

地図の凡例
- ビル街
- 建物が密集しているところ
- 建物が多いところ（おもに住宅地）
- 田
- 畑
- 公園や緑地
- その他の地域（工業地や港）
- 山地や丘陵地

- ← 完成車の出荷
- ⚓ 自動車積み出し港
- 🚗 自動車の組立工場
- 自動車部品・関連工場
- 製鉄所〔鉄〕

- エンジン
- ステアリヤ
- シート
- タイヤ
- ガラス
- 電子部品
- その他の部品（トランスミッションなど）
- ➤ その他の記号は17ペー

県名
岐阜県　愛知県　三重県

おもな市町村
土岐市　多治見市　一宮市　小牧市　岩倉市　稲沢市　北名古屋市　春日井市　豊山町　あま市　清須市　大治町　名古屋市　瀬戸市　尾張旭市　長久手市　日進市　みよし市　豊田市　津島市　愛西市　弥富市　桑名市　飛島村　東郷町　東海市　大府市　豊明市　知多市　東浦町　刈谷市　知立市　安城市　岡崎市　阿久比町　半田市　高浜市　碧南市　西尾市　幸田町　蒲郡市　常滑市　武豊町　美浜町　南知多町　田原市

三河湾国定公園　伊良湖岬　篠島　日間賀島　佐久島

地名・施設名など
桃花台ニュータウン　核融合科学研究所　名古屋飛行場　名鉄小牧線　名古屋城　トヨタ産業技術記念館　中部電力ミライタワー　熱田神宮　名古屋港水族館　中部国際空港（セントレア）　愛知県国際展示場（愛知スカイエキスポ）　豊田スタジアム　岡崎城　渥美湾　三河湾　伊勢湾　知多湾　木曽川　長良川　揖斐川　矢作川　矢作古川

地図マスターへの道

40 ☑ 自動車の組立工場 🚗 を八つさがして、赤色の丸で囲もう。
5年 工業

41 ☑ 完成車は、どのような方法で各地に出荷されているかな。地図から調べてみよう。
5年 工業

位置　①図

13

① 新潟県

0　10　20　30　40　50km
地図上の1cmは実際には10kmです。

地図マスターへの道

にいがたしから佐渡市までのきょりは、およそ何kmかな。

位置

市街地
田畑
果樹園
その他

陸の高さ(m)
2000
1400
600
0

海の深さ(m)
200
1000
2000

高原野菜づくりのさかんなところ

その他の記号は17ページ

新潟県

日本海

佐渡海峡

佐渡島（さどがしま）

両津湾

真野湾

佐渡弥彦米山国定公園

金剛山 962
金北山 1172
尖閣湾
佐渡金山
相川
佐渡
佐渡おけさ
赤泊
沢崎鼻　小木

弾崎

粟島浦
粟島
オオミズナギドリ

越後

村上
鷲ヶ巣山
関川
胎内
新発田
二王子岳 1420
聖籠
新潟
阿賀野
五泉
加茂
三条
燕
見附
長岡
小千谷
魚沼
柏崎
上越
糸魚川

山形県
飯豊山 2105
飯豊山地
大日岳 2128
磐梯朝日国立公園

福島県

会津

中部地方

谷川岳
苗場山
十日町
南魚沼
八海山 1778

群馬県
栃木県

長野県

飛騨

妙高

長野
須坂
中野
飯山

大町
松本

前橋
高崎
伊勢崎
太田
桐生
足利
佐野
小山
宇都宮
鹿沼
栃木
日光

信濃川

阿賀野川

北陸新幹線
上信越自動車道
関越自動車道
磐越自動車道
北陸自動車道

63-64

関東地方

②伊豆・小笠原諸島

1：1,000,000（100万分の1）
0　　10km

小笠原諸島

東京都

父島列島　兄島　父島　聟島列島
母島列島　母島

A

伊豆　諸島　三宅島　御蔵島
御蔵島 851
三宅島 701 雄山

B

八丈島（八丈富士）西山 854
八丈島　東京都

C

青ヶ島　青ヶ島
東京都　神津島　式根島　新島
三宅島

D

利根川　鹿島灘

茨城県

千葉県　房総半島

東京都　埼玉県　東京　横浜　川崎　神奈川県　相模原　大和　藤沢　茅ヶ崎　平塚　小田原　秦野　厚木　伊勢原

群馬県　栃木県

山梨県　甲府　富士山 3776　富士宮

長野県

静岡県　静岡　沼津　三島　伊豆半島　下田

大島　伊豆大島　三原山 758

東京都

新島

利島

1：500,000（50万分の1）

0　5　10km
地図上の1cmは実際には5kmです。

日本の首都・東京　67〜68ページ
東京都とそのまわり　71〜73ページ

①図　位置

関東地方

市街地 □ は、鉄道に沿って広がっているみたいだね。

凡例：
市街地
田
畑
茶畑
果樹園
工業

その他
陸の高さ（m）　2000／1400／600／0
海の深さ（m）　200／1000

その他の記号は17ページ

地図マスターへの道

43 東京ディズニーランドの絵をさがしてみよう。

44 （5年国土）市街地の広がりを東京・大阪・名古屋で比べてみよう。一番広がっているのは、どこかな。

ヒント：65〜66ページと同じ縮尺の地図（47〜48ページと59〜60ページ）を見てみよう。

45 （5年工業）製油の記号 🏭 が海沿いに多い理由を、85〜86ページや107ページなどから説明してみよう。

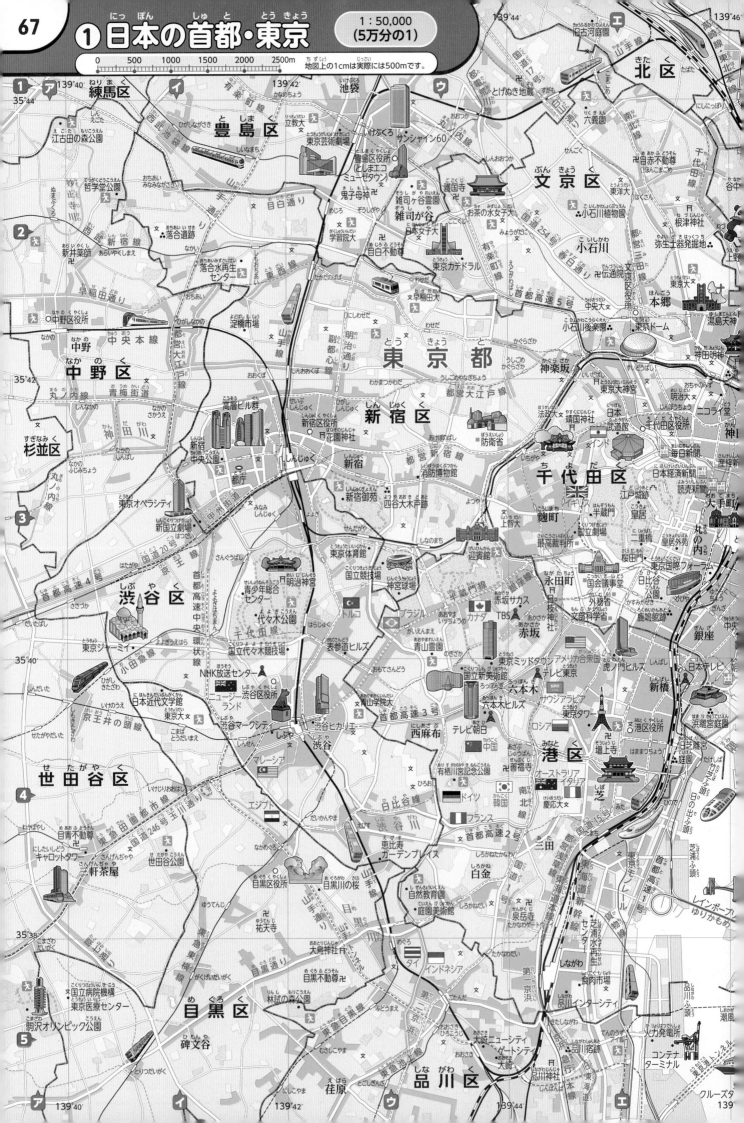

足立区
葛飾区
○葛飾区役所
総合スポーツ
・センター
奥戸街道

荒川自然公園
千住大橋
汐入公園
水戸街道
水元公園
綾瀬川
35°44
総武本線

荒川区役所
日光街道
小塚原刑場跡
白鬚橋
隅田川
向島百花園
上平井橋
新小岩公園
新小岩

目黒不動尊
一葉記念館
酉の市
向島
隅田川花火大会
私学事業団
総合運動場

川区
常磐線
鷲神社
三社祭
浅草
隅田公園
新中川
つくばエクスプレス
入谷鬼子母神
ほおずき市
浅草寺
浅草神社
雷門
向島
ひきふね
京成押上線

国立西洋美術館
東本願寺
銀座線
東京スカイツリー
東武亀戸線
おうらい
目黒不動尊
江戸川区
○江戸川区役所
えどがわく

台東区役所
メヤ横丁
墨田区役所
おしあげ
ひらい

台東区
本所
墨田区
亀戸天神
亀戸
荒川大橋
新小松川橋
首都高速7号
船堀街道

両国橋
国技館
江戸東京博物館
錦糸公園
錦糸町
亀戸
中央公園
京葉道路
大島小松川公園
環七通り
船堀市場

吉良邸跡
回向院
国道14号
大横川
猿江恩賜公園
にしおおじま
中川船番所資料館・
タワーホール船堀
都営新宿線
いちのえ

芭蕉庵跡
江戸
水天宮
都営大江戸線
半蔵門線
すみよし
明治通り
荒川
中川
新川

東京証券取引所
伊能忠敬住居跡
清澄庭園
現代美術館
小名木川
クローバー橋
北砂
貨物線
古川親水公園

央区
永代橋
深川
木場公園
江東区役所
葛西橋通り
行船公園

伊能忠敬住居跡
深川不動堂
木場
富岡八幡宮
葛西橋
新川

願寺
佃
住吉神社
越中島
江東区
首都高速9号
塩浜
葛西橋通り
東西線
西葛西
地下鉄博物館
旧江戸川
35°40

晴海運河
有楽町線
東京湾マリーナ
東京国際郵便局
清砂大橋
砂町水再生
センター
総合レクリエーション公園

晴海トリトンスクエア
ららぽーと豊洲
豊洲
ガスの
科学館
塩浜
東京湾マリーナ
新左近川親水公園
葛西水再生
センター
葛西市場

晴海
首都高速10号
豊洲大橋
東京アクアティクスセンター
夢の島マリーナ
夢の島公園
新江東清掃工場
首都高速湾岸線
荒川河口橋
トラックターミナル

環二通り
辰巳の森海浜公園
貯木場
葛西臨海公園
葛西臨海水族園
葛西海浜公園
西なぎさ
なぎさ公園

市場・
有明アリーナ
国道357号
東京臨海高速鉄道
りんかい線
新木場
京葉線
しんきば
かさいりんかいこうえん
葛西臨海公園
舞浜大橋
浦安市
千葉県

速11号
有明
有明コロシアム
有明テニスの森
東京臨海広域防災公園
ありあけ
貯木場
貯木場
東京ヘリポート
西なぎさ
東京ディズニーランド
35°38
リゾートライン

学館
東京国際展示場
（ビッグサイト）
東京港
東京ビッグサイト
若洲海浜公園
139°52
東京ディズニーシー

本科学未来館
ゆりかもめ
あおみ
若洲風力発電施設
若洲公園
東京ゲートブリッジ

テレコムセンター
フェリーターミナル
139°48
139°50

その他の記号は17ページ

（凡例）
商業地
住宅地
公園・緑地
工場・流通地区
その他の地域

■ 国のおもな機関
🏛 おもなテレビ局
文 おもな大学
・ おもな施設・建物など
🏃 災害時のおもな避難場所※
—— 江戸時代末ごろの海岸線
➡ その他の記号は17ページ
🇺🇸 おもな大使館
📰 おもな新聞社
○ 区役所

※災害時に避難せずに地区内に留まる区域もあります。

—2023年—

関東地方

北

南

西

川越街道
板橋宿
滝野川
飛鳥山
参勤交代

荒川
町屋
千住大橋
三河島
三ノ輪
目黒不動

長崎
池袋
いけぶくろ
巣鴨
中里
田端
日暮里

郊外から江戸へ
野菜を売りに来たよ。

豊島
農民
下落合

雑司ヶ谷
鬼子母神
護国寺

六義園
駒込
目赤不動
千駄木
赤門
根津権現
上野山の花見
寛永寺
上野
東照宮

谷中
根岸

鷲明神
入谷鬼子母神
千束

高田
戸塚

江戸川
目白不動
小日向
神田上水
火消し
水戸徳川家
水道橋

小石川養生所
小石川
伝通院

本郷
湯島天神
神田明神
昌平坂学問所

下谷
御徒町
鳥越神社
御蔵

浅草
浅草寺

高田馬場
早稲田

市ヶ谷
牛込
外堀
九段坂
神楽坂

神保町

神田
小伝馬町
両国橋
回向院

両国の花火

大久保
花園神社
内藤新宿
太宗寺
四谷
四谷大木戸
四谷見附

尾張徳川家
番町
田安家
清水家
一橋家

御城（江戸城）
大手門
熊本藩
越後屋

金座
エ
銀座
ア
日本橋
魚市場
新大橋

霊巌
永代橋

麹町

紀伊徳川家

丸ノ内
桜田門
彦根藩
米沢藩
鳥取藩
桜田門外の変
長州藩
南町奉行所

北町奉行所
東京
京橋

八丁堀

奉納相撲
永代寺
越中

千駄ヶ谷
代々木

青山
山王祭
日枝神社
赤坂新町
霞ヶ関
虎ノ関

築地
新橋
仙台藩
西本願寺
（築地本願寺）

蘭学塾！
石川島
佃島

杉田玄白が「解体新書」
を執筆した
佃島の漁師

原宿
渋谷
羽沢

赤坂
目青不動
烏森
愛宕神社
神谷町
浜御殿

麻布
芝
増上寺
飯倉神明宮

歌舞伎

上目黒

麻布広尾町
三田
島原藩
薩摩藩
大名の家族

渋谷広尾町
白金

江戸湾

中目黒
下目黒
目黒不動
大円寺
大崎

長者丸
泉岳寺
高輪
高輪大木戸

ようやく江戸に着き
ました。→55〜56ページ

第六台場
第三台場
第二台場

御殿山
品川宿
御殿山下台場
第五台場
第四台場
第一台場

0　500　1000　1500　2000　2500m
地図上の1cmは実際には500mです。

寺
卍 諏訪明神
・百花園
卍 長命寺

向島
業平橋
押上
卍 霊山寺
亀戸天神
所
亀戸

大島
東
川
木場
貯木場

長屋のあった
町人地を地図と
①のグラフで
確認しよう。

土地利用（1860年ごろ）
江戸城
武家地
町人地
村
寺社地
田・畑・その他
おもな上水
将軍・徳川氏一族の邸宅
おもな藩邸
銀座　おもな施設
おもな街道
五街道
品川宿　江戸の四宿
現在のJR山手線

② 江戸の町のようすと人々のくらし

⑦ 江戸時代の日本橋（左）と現在の日本橋（右:2021年）

日本橋
東海道
（歌川広重作『東海道五十三次』）

① 江戸の土地利用と居住地別人口（江戸時代後期）

居住地人口 🧍=2.5万人　総人口 130万人*

65万人*　60万人　5万人

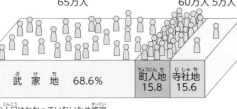

総面積 56.4km²　武家地 68.6%　町人地 15.8　寺社地 15.6

*武士の正確な人口はわかっていないため推定
〔江戸と江戸城、ほか〕

⑦ 上水道から水をくむようす

人口が増えた江戸の水不足をおぎなうため、多摩川から玉川上水などで水を引き、人々が利用していました。

上水井戸

水
地中に埋めた「とい」

① 日本橋付近の町のようす　大伝馬町のにぎやかな通りを東から西に向かって描いています。（歌川広重作『東都大伝馬街繁栄之図』）

東都大伝馬街繁栄之圖
両側にもめん問屋などがならぶ
富士山
お供をつれた武士
江戸城
荷物をしばる人

関東地方

⑦ リサイクルが進んでいた江戸の商売

SDGs

ⓐ 紙くずを買う人
再生して紙をつくる材料として紙くずを買いとる人がいました。

ⓒ 魚売り
江戸湾でとれた新鮮な魚を売り歩きました。

ⓑ 下肥を運ぶ人
町で出た「しにょう」を買いとり畑の肥料として農家に売りました。

ⓓ そば屋
屋台をかついで移動するファストフードでした。

⑦ 長屋のくらし　細長い建物を区切った一部屋で家族が生活しました。（断面図）

台所
火ばち
ふとん
水がめ

地図マスターへの道

46 ☑ ★
6年 江戸時代
1860年ごろの土地利用で、一番多く見られるのは何かな。

47 ☑ ★★
67〜68ページの現在の東京の海岸線と、江戸時代の海岸線を比べてみよう。海沿いはどのように変化したかな。

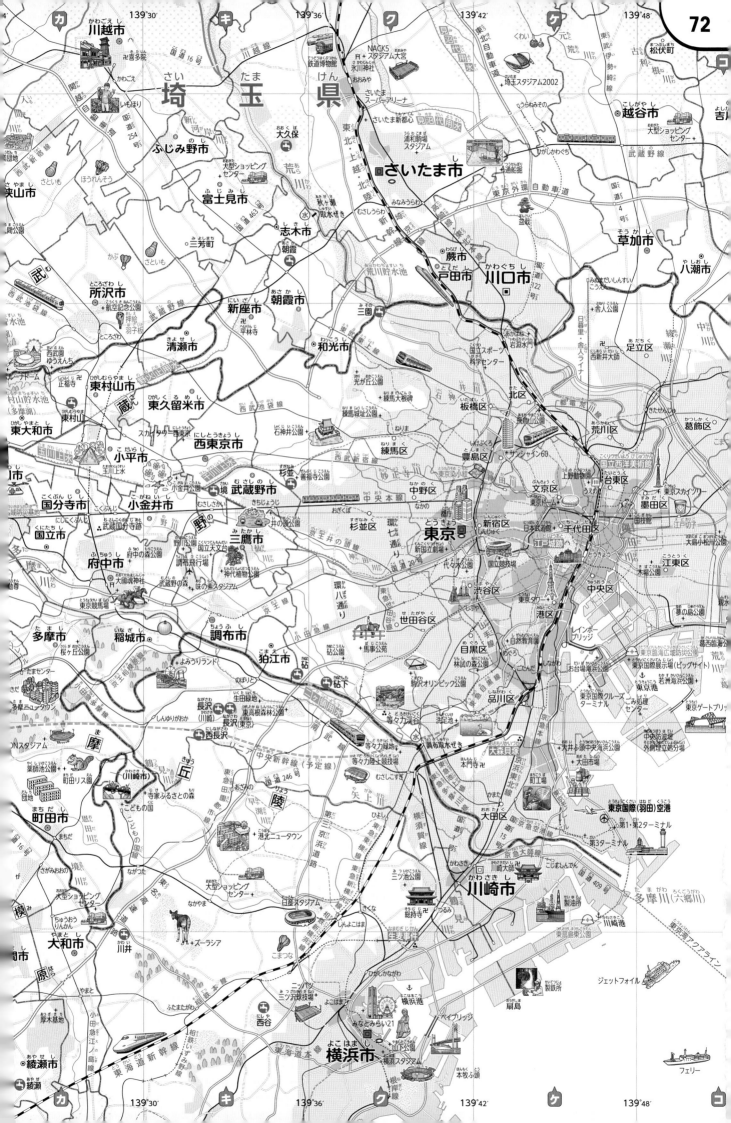

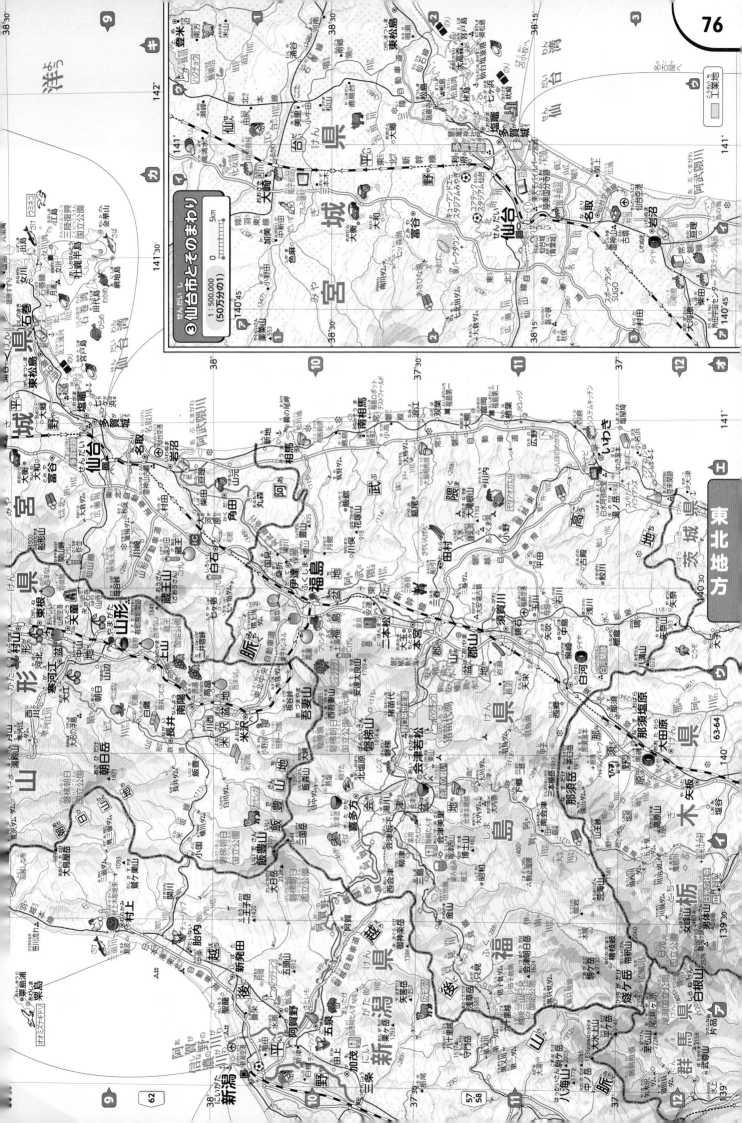

①北海道地方

1：1,600,000（160万分の1）

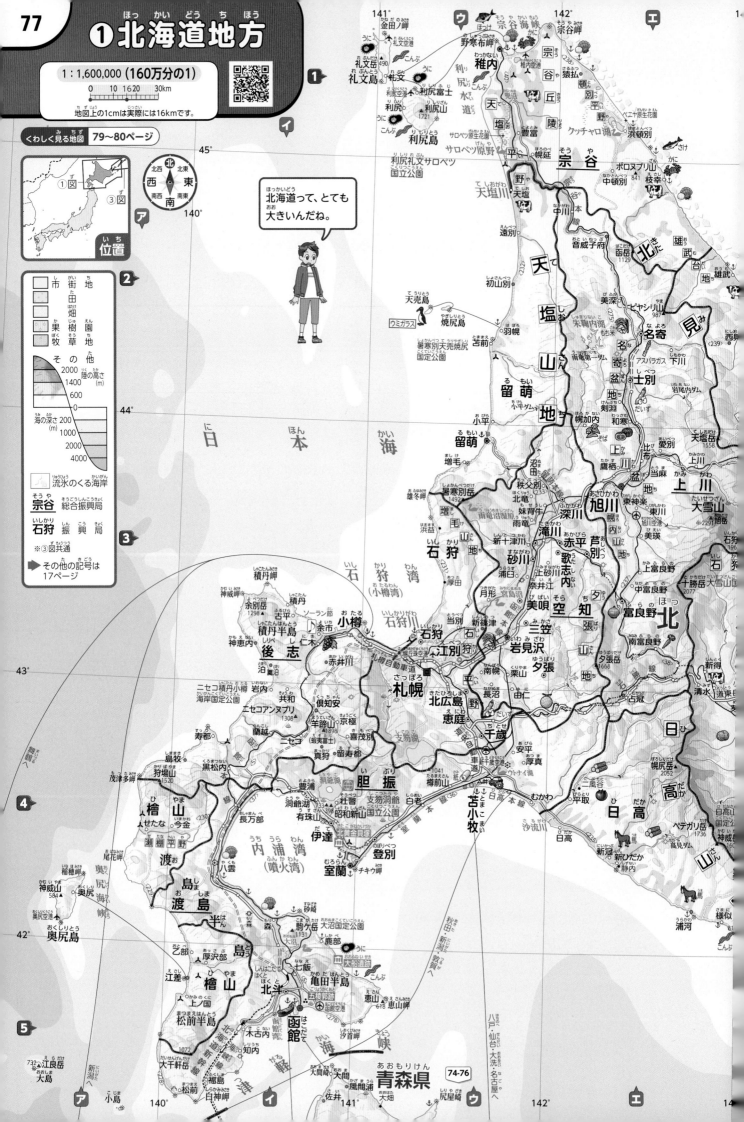

地図マスターへの道

51 ☑★ オホーツク海に面した海岸にある □ は何かな。
5年 気象と生活

52 ☑★ 111ページの統計を見て、北海道の面積は沖縄県のおよそ何倍か調べてみよう。
4年 都道府県

53 ☑★ 石狩平野、十勝平野、根釧台地では、それぞれどのような土地利用が多いかな。
5年 気象と生活
ヒント：土地利用の色に注目しよう。

②北海道のアイヌ語地名

ヤムワッカナイ（冷たい水の川）
レプンシリー 礼文（沖の島）
稚内
モペッ（静かな川）
サルオマペッ（湿原にある川）
サッポロペッ（乾いた大きな川）
紋別
佐呂間
知床
オタオルナイ（砂浜の中にある川）
網走
シルエトク（大地の先）
小樽
札幌
モルエラニ（小さい坂）
チパシリ（祭壇のある島）
室蘭
苫小牧
エンルム（岬）
エサウシイ（頭を浜に出しているもの）
江差
トマクオマナイ（沼の奥にある川）
えりも

アイヌ語の意味
ペッ→大きい川
ナイ→小さい川・沢
ポロ→大きい

□ アイヌ語に由来する地名の例
※ はアイヌ語、（　）内は意味。

〔北海道地名分類字典、ほか〕

③択捉島

1：1,600,000（160万分の1）

北海道地方

同じ縮尺の沖縄島（1：1,600,000）

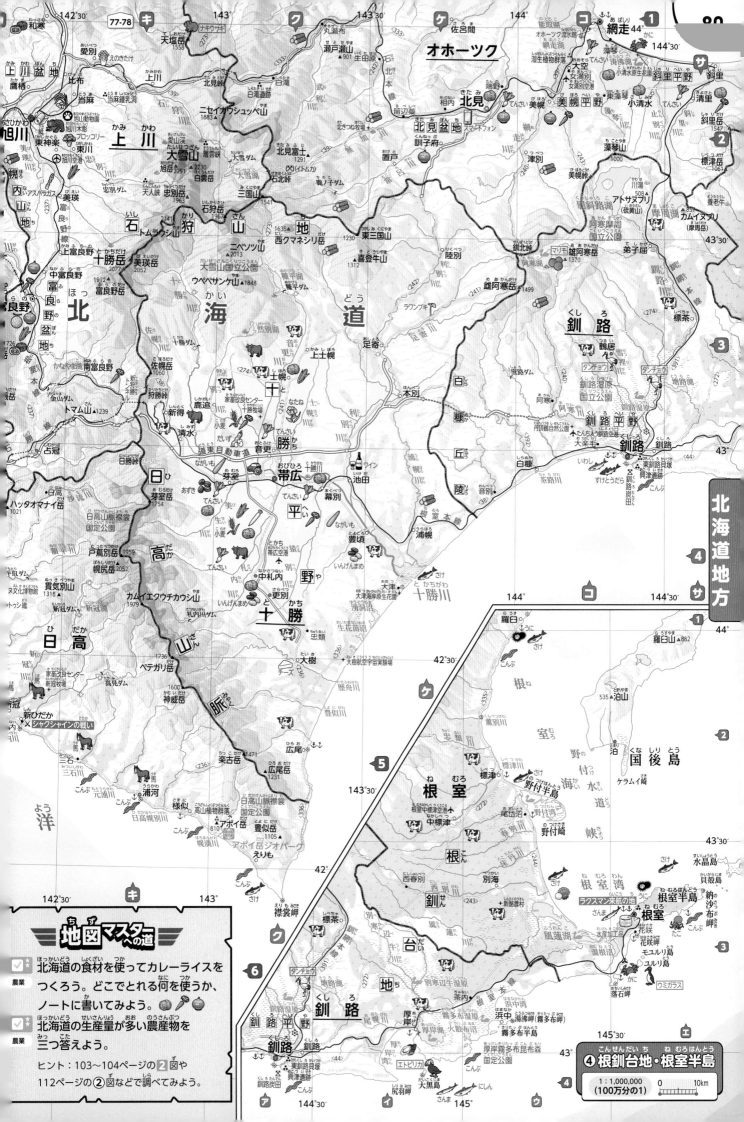

オホーツク

北見盆地

上川盆地

大雪山国立公園

上川

大雪山

石狩山地

北海道

釧路

十勝

日高山脈襟裳国定公園

日高

平野

日高山脈

釧路平野

根室

国後島

野付半島

根室半島

根室湾

野付水道

釧路平野

釧路

よう洋

襟裳岬

地図マスターへの道

北海道の食材を使ってカレーライスをつくろう。どこでとれる何を使うか、ノートに書いてみよう。

北海道の生産量が多い農産物を三つ答えよう。

ヒント：103〜104ページの②図や112ページの②図などで調べてみよう。

④根釧台地・根室半島

1：1,000,000（100万分の1）　0　10km

世界と地球儀

地球儀の使い方動画

1 六つの大陸と三つの海洋

世界には陸地と海洋があります。陸地には、六つの大陸と数多くの島々があります。海洋には、三つの大きな海洋とそのほかの海があります。

2 さまざまな視点で見る地球

ア 北極の上から見た地球

180°
西経　東経
日本
北アメリカ州　北極　アジア州
90°　　　　　　90°
ヨーロッパ州
アフリカ州
西経　　東経
0°

イ 南極の上から見た地球

0°
西経　東経
アフリカ州
南アメリカ州　南極　日本の方向
90°　　　　　　90°
オセアニア州
西経　　東経
180°

北極　80°　80°
60°　　60°
北極圏
ロンドン
ユーラシア大陸
ヨーロッパ州
日本
40°　　　　　　　　40°
アジア州
20°
北回帰線
アフリカ大陸
0°　20°　40°　60°　80°　100°　120°　140°
赤道
インド洋
オセアニア州
オーストラリア大陸
大西洋
20°
南回帰線
40°　　　　　　　　40°
南極圏
60°　　60°
南極大陸
80°　80°
南極

―：世界の州境

地球儀を使おう

地球儀の特徴
❶ 位置関係が正しい
❷ 方位が正しい
❸ きょりが正しい
❹ 面積が正しい
❺ 形が正しい

地球儀ってなに?

地球儀はわたしたちが住む地球をそのまま小さくした模型です。地球儀を使って、世界の国々について調べてみよう。

緯度と経度で特定の位置を表すことができるよ。
例：北緯35度、東経139度
139°
35°

1 位置を表す 緯度と経度

地球儀や地図には、横と縦の線が引かれています。横の線を緯線、縦の線を経線といいます。

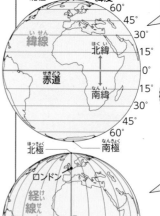

北極
緯度
60°
45°
30°
緯線
15°
北緯
0°
赤道
南緯
15°
30°
45°
60°
北極　南極

北極と南極からのきょりが等しい地点を通る緯線（赤道）が、緯度0°となっています。

ちょうちんの横の線に似ているね。

北極
ロンドン
経線
西経　東経
60 30 0 30 60
経度
南極

イギリスのロンドンを通る経線（本初子午線）が、経度0°となっています。

すいかの縦の線に似ているね。

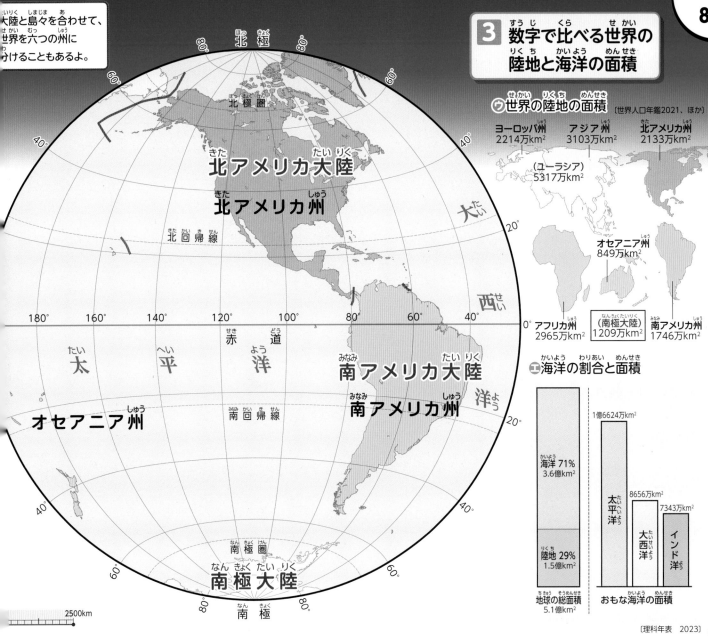

大陸と島々を合わせて、世界を六つの州に分けることもあるよ。

3 数字で比べる世界の陸地と海洋の面積

⑦世界の陸地の面積 〔世界人口年鑑2021、ほか〕

ヨーロッパ州	アジア州	北アメリカ州
2214万km²	3103万km²	2133万km²

（ユーラシア）5317万km²

オセアニア州 849万km²

アフリカ州 2965万km²　（南極大陸）1209万km²　南アメリカ州 1746万km²

①海洋の割合と面積

海洋71% 3.6億km²
陸地29% 1.5億km²
地球の総面積 5.1億km²

太平洋 1億6624万km²
大西洋 8656万km²
インド洋 7343万km²
おもな海洋の面積

〔理科年表 2023〕

北極　北極圏　北アメリカ大陸　北アメリカ州　北回帰線　赤道　太平洋　南アメリカ大陸　南アメリカ州　南回帰線　オセアニア州　南極圏　南極大陸　南極　大西洋
2500km

②方位を調べる

① 2本の紙テープを直角に交わるように、はり合わせよう。
② 交わる部分を日本の上に置こう。
③ 1本のテープを日本の上を通る経線（東経135度）に合わせよう。
▶経線の方向に合わせたテープは南北方向を、もう一方は東西方向を示しているよ。※

※日本から見た場合

③きょりを調べる

①紙テープを赤道にそって一周させ、切りとろう。
②その紙テープを真ん中のところで4回折って、16等分しよう。
③折り目に線をかくと、1目もりが約2500kmのものさしが完成。（赤道一周のきょりは約4万km）
▶そのものさしで、きょりを調べよう。

④面積、⑤形を調べる

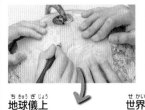

地球儀は面積や形も正しく表しているんだよ。

地球儀上　世界地図（130〜132ページ）
グリーンランド　形がちがう　グリーンランド
オーストラリア
グリーンランドの方が小さい　グリーンランドの方が大きい

①トレーシングペーパーを使って、地球儀上のグリーンランドとオーストラリアをかき写そう。
▶世界地図（130〜132ページ）のグリーンランドとオーストラリアを、①と比べてみよう。

世界

地球儀と平面の地図　地球儀は世界全体を一目で見られません。この点をおぎなうため、いろいろな平面図がつくられています。次のページからは、平面の地図で世界の国々を見ていきましょう。

① アジア・オセアニア

1：40,000,000
（4000万分の1）

ランベルト正積方位図法

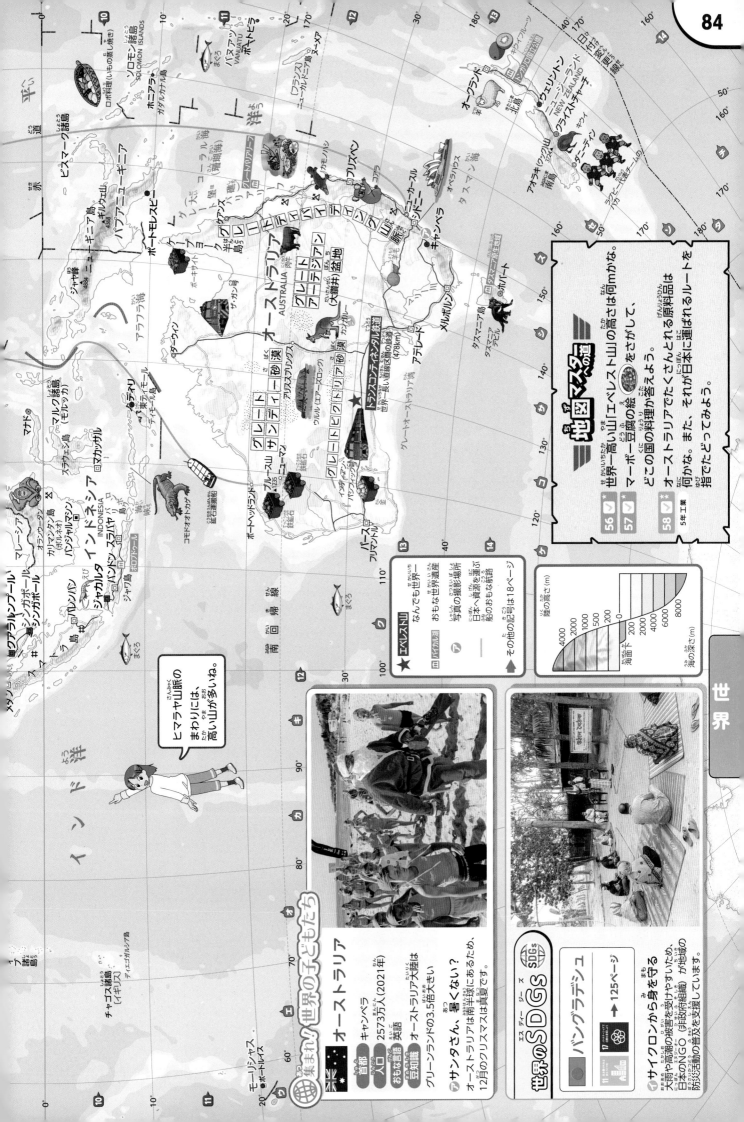

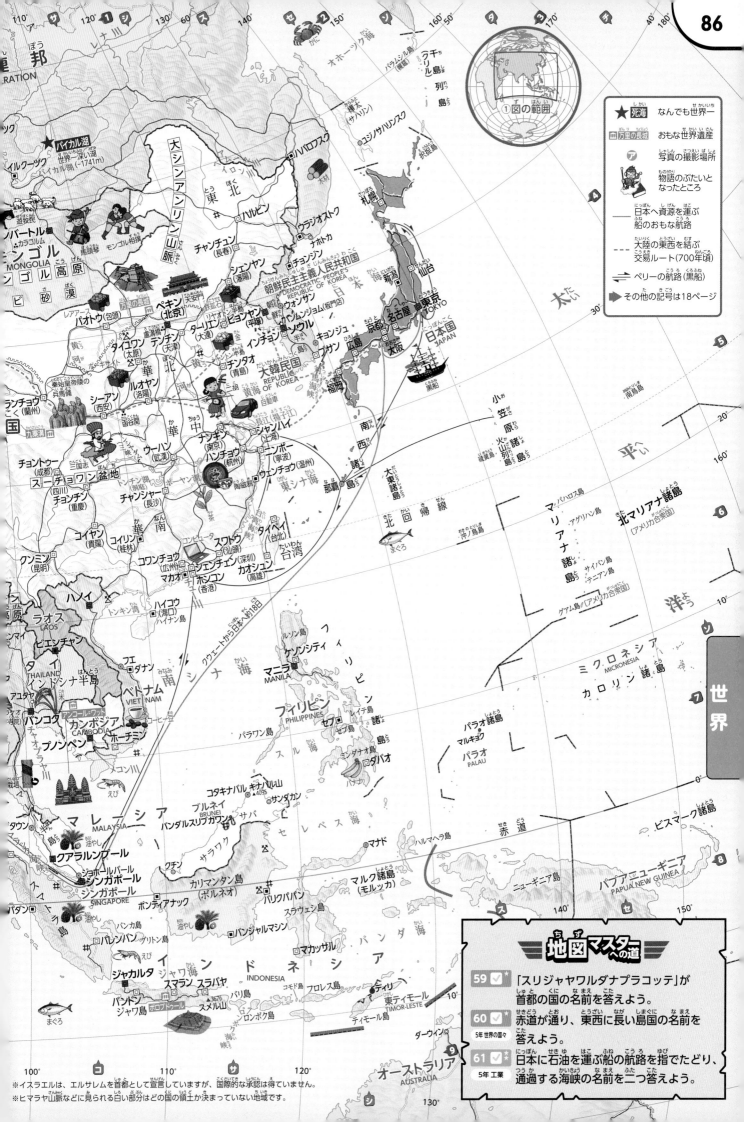

地図マスターへの道

59 「スリジャヤワルダナプラコッテ」が首都の国の名前を答えよう。

60 5年 世界の国々　赤道が通り、東西に長い島国の名前を答えよう。

61 5年 工業　日本に石油を運ぶ船の航路を指でたどり、通過する海峡の名前を二つ答えよう。

※イスラエルは、エルサレムを首都として宣言していますが、国際的な承認は得ていません。
※ヒマラヤ山脈などに見られる白い部分はどの国の領土か決まっていない地域です。

①ヨーロッパ・アフリカ

1：40,000,000
（4000万分の1）

ランベルト正積方位図法

0 500 1000 1500 2000km

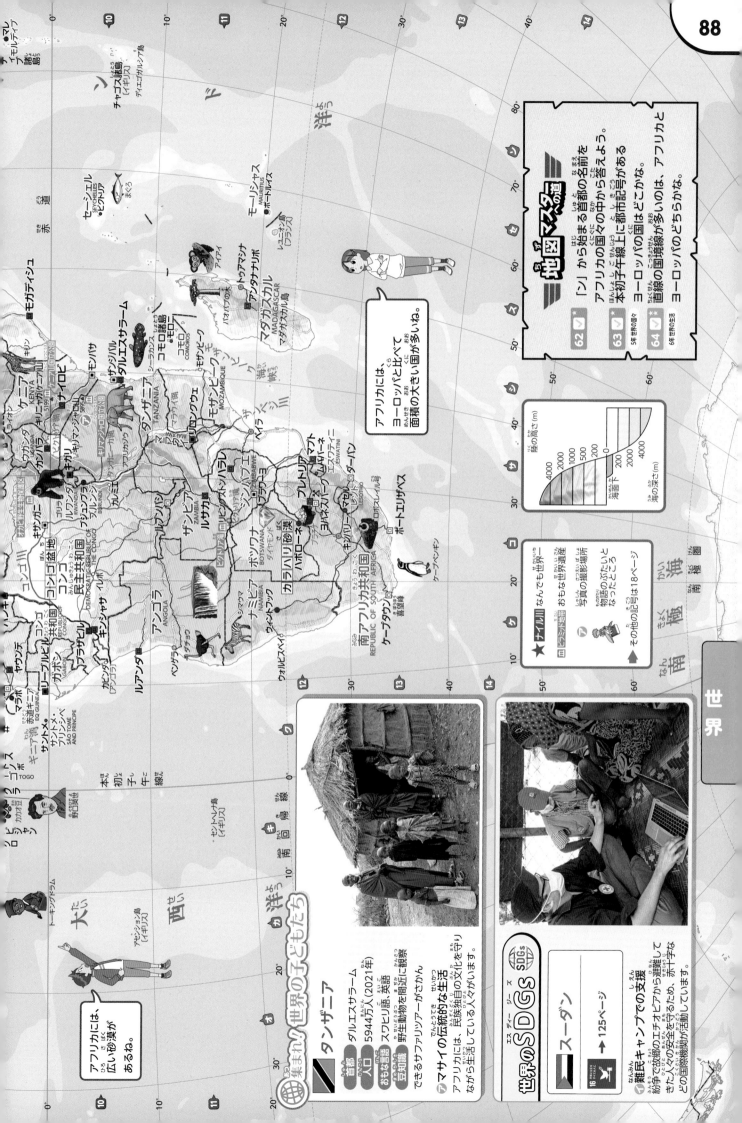

集まれ！世界の子どもたち

🇫🇮 フィンランド

首都	ヘルシンキ
人口	556万人（2021年）
おもな言語	フィンランド語
豆知識	サンタクロースのふるさと

⑦ 寒いけど、外で遊びたい！
ユーラシア大陸の北にあるため寒さが厳しく、月平均気温がマイナス10℃以下になるところもあります。

世界のSDGs 🌐 SDGs

	ドイツ

10
→ 125ページ

⑦ パラスポーツのさかんな国
車いすバスケットボールが人気で、世界中からトップ選手が集まります。日本人選手も活やくしています。

地図マスターへの道

65 ✓ ★ 『ピノキオの冒険』の物語のぶたいとなった国の名前を答えよう。
ヒント：ブーツの形をした国だよ。

66 ✓ 5年世界の国々 ヨーロッパの国から日本へ伝わった言葉を地図からさがして、一つ答えよう。

67 ✓ 5年世界の国々 北緯40度の緯線が通るヨーロッパの国と日本の都道府県をそれぞれ二つ答えよう。
ヒント：日本の都道府県は129ページを見てみよう。

世界

（地図中の地名）
バレンツ海
コラ半島
トナカイ
ポーランド
サンタクロース
白海
北ドビナ川
ムルマンスク
アルハンゲリスク
カレリア
オネガ湖 大きなかぶ
ヤロスラブリ
フィンランド FINLAND
ロシア連邦 RUSSIAN FEDERATION
ラドガ湖
タンペレ
ヘルシンキ
サンクトペテルブルク
ボログダ
タリン
エストニア ESTONIA
リガ
ラトビア LATVIA
マトリョーシカ人形
バラライカ
モスクワ MOSKVA
クレムリン
聖ワシリー寺院
リトアニア LITHUANIA
杉原千畝
ビリニュス
スモレンスク
ベラルーシ BELARUS
ミンスク
ドニエプル川
ボロネジ
小麦
カザフスタン KAZAKHSTAN
アラル海
シャワ歴史地区
ワルシャワ
チョルノービリ（チェルノブイリ）
キーウ（キエフ）
聖ソフィア大聖堂
ハルキウ
ウズベキスタン UZBEKISTAN
エンチム ビッツ
リビウ
ヒマワリ畑
ザポリッジャ
ロストフ
ボルゴグラード
ボルガ川
アストラハニ
カスピ海
ウクライナ UKRAINE
スロバキア
モルドバ MOLDOVA
キシナウ（キシニョフ）
オデーサ
アゾフ海
クリム（クリミア）半島
セバストーポリ
ヤルタ
ソチ
エルブルース山 5642m
カフカス山脈
キャビア
トルクメニスタン TURKMENISTAN
トルクメンバシ
ルーマニア ROMANIA
ブラショブ
ブカレスト
黒海
ジョージア GEORGIA
トビリシ
アゼルバイジャン AZERBAIJAN
バクー
ドナウ川
ヨーグルト
ナイチンゲール
バトゥミ
アルメニア ARMENIA
エレバン
アゼルバイジャン（飛地）
イラン IRAN
セルビア SERBIA
コソボ KOSOVO
プリシュティナ
ソフィア
ブルガリア BULGARIA
バルカン半島
ボスポラス海峡
エルズルム
ドネルケバブ
北マケドニア NORTH MACEDONIA
スコピエ
テッサロニキ
アヤソフィア
イスタンブール
ブルサ
アンカラ
トルコ TURKEY
カッパドキア
メヘテルハーネ
コンヤ
ティグリス川
オリンポス山 2911m
ギリシャ GREECE
エーゲ海
イズミル
アンタルヤ
アンタキヤ
アレッポ
ユーフラテス川
マラトン
アテネ
アクロポリス
オリンピア
パルテノン神殿
スパルタ
オリンピックが始まったところ
ロードス島（ギリシャ）
クレタ島
キプロス CYPRUS
ニコシア
シリア SYRIA
レバノン LEBANON
ベイルート
ダマスカス
トロイ

世界

凡例

- ★ 首都
- ■ なんでも世界一
- □ マチュピチュ おもな世界遺産
- 写真の撮影場所
- ⑦ その他の記号は18ページ
- 物語のぶたいになったところ

産の高さ(m)
4000 2000 1000 500 200
海面下 200 2000 4000 6000 8000
海の深さ(m)

アマゾン川
赤道

フォルタレーザ
ナタール
レシフェ

ベレン
アマパー自然保護区域群
サルバドル

ブ ラ ジ ル 高 原
BRAZIL

フェイジョアーダ(豆の煮込み)

リオデジャネイロ
サンパウロ

イグアス国立公園
パラグアイ川
ブラジリア

イグアス国立公園
パラナ川
アスンシオン
パラグアイ
PARAGUAY

コルドバ
ウルグアイ
URUGUAY
モンテビデオ

マナオス
中央アマゾン自然保護区群
熱帯林

オレオス
ラパスにある
世界一高い
ところにある首都(4058m)
ボリビア
BOLIVIA

アルゼンチン
ARGENTINA
ブエノスアイレス

フォークランド諸島
(マルビナス諸島)

ギ ア ナ 大 高 地
VENEZUELA
ジョージタウン
ガイアナ
パラマリボ
スリナム
ギアナ(フランス)

サウスジョージア島

アンヘル滝

ボゴタ
コロンビア
COLOMBIA

キト
エクアドル
ECUADOR
グアヤキル

ペルー
PERU
リマ
エスタの地上絵
世界一大きい絵

アンデス山脈
チリ
CHILE
サンティアゴ

南 極 半 島
南 極 海

ドレーク海峡

ガラパゴス諸島
(エクアドル)
イグアナ
ゾウガメ
ガラパゴス諸島

大 西 洋
南 回 帰 線

太 平 洋

ペルー
首都 リマ
人口 3303万人(2021年)
おもな言語 スペイン語, ケチュア語
豆知識 標高4000mをこえる高地に暮らす人も多い

① いろいろなじゃがいもを売っているよ!
じゃがいものの原産地はアンデス山脈で, 種類も豊富です。

ボストーク基地
世界一低い気温が
観測されたところ
(-89.2℃ (1983年))

ペルー

集まれ!世界の子どもたち

1:60,000,000
(6000万分の1)

世界のSDGs

⚫️ 大自然を守りながら楽しもう!
環境保全と観光振興の両立をめざすエコツーリズムの
考え方にもとづき, 豊かな自然を観光客をよびこみ, ガイド
の案内で自然を大切さを学べるツアーを開催しています。

→126ページ

コスタリカ

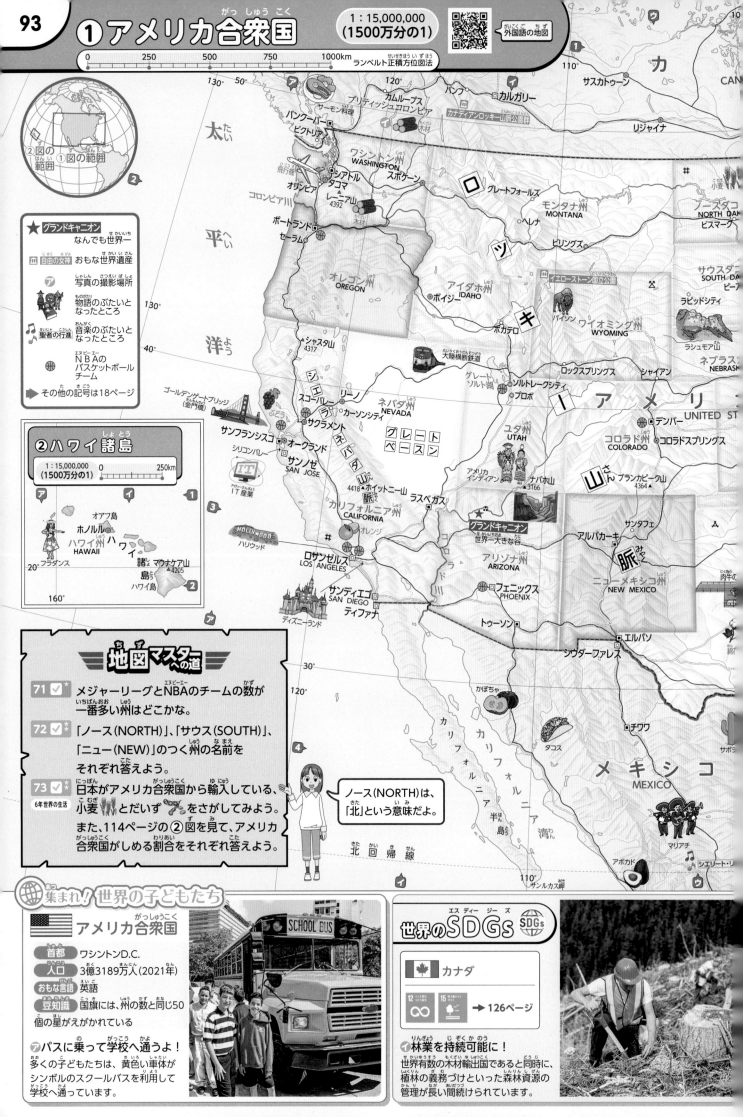

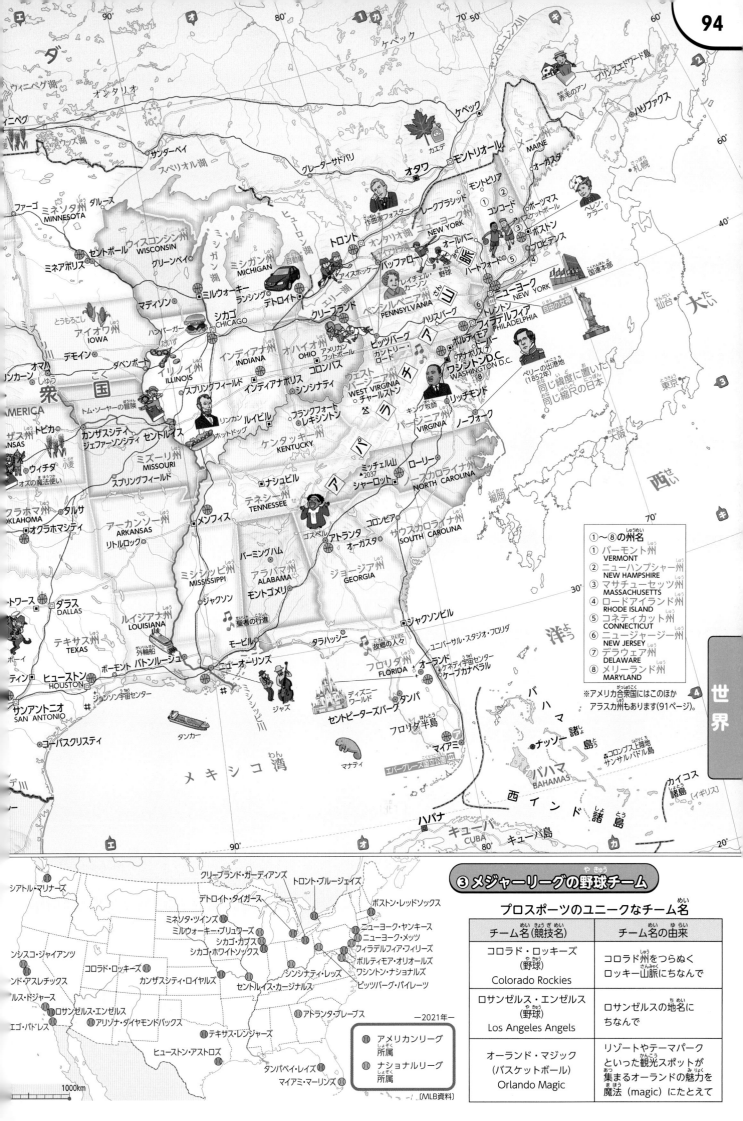

94

①〜⑧の州名
① バーモント州 VERMONT
② ニューハンプシャー州 NEW HAMPSHIRE
③ マサチューセッツ州 MASSACHUSETTS
④ ロードアイランド州 RHODE ISLAND
⑤ コネティカット州 CONNECTICUT
⑥ ニュージャージー州 NEW JERSEY
⑦ デラウェア州 DELAWARE
⑧ メリーランド州 MARYLAND

※アメリカ合衆国にはこのほか
アラスカ州もあります(91ページ)。

③ メジャーリーグの野球チーム

プロスポーツのユニークなチーム名

チーム名(競技名)	チーム名の由来
コロラド・ロッキーズ(野球) Colorado Rockies	コロラド州をつらぬくロッキー山脈にちなんで
ロサンゼルス・エンゼルス(野球) Los Angeles Angels	ロサンゼルスの地名にちなんで
オーランド・マジック(バスケットボール) Orlando Magic	リゾートやテーマパークといった観光スポットが集まるオーランドの魅力を魔法(magic)にたとえて

—2021年—

① アメリカンリーグ所属
② ナショナルリーグ所属

〔MLB資料〕

1000km

1 さまざまな地形（模式図）

山脈（山が列のように集まったところ）

山地（山が集まったところ）

盆地（山に囲まれた平地）

平野（海に面した平地）

川

台地　平野の中でいちだんと高くなっている平地

湾（陸地に入りこんだ海）

2 地形のようす

1：7,000,000
0　　100km

陸の高さ(m)
1400
600
200
0

〔新版日本国勢地図、ほか〕

みんなが住んでいる地域にはどんな地形があるかな？

宗谷岬
北見山地
サロ
石狩川
大雪山
石狩平野
十勝岳
有珠山
十勝平野
日高山脈
渡島半島

下北半島
最も深い湖 423m
八甲田山
十和田湖
出羽山地
奥羽山脈
北上高地
鳥海山
仙台平野
北上川
蔵王山
最も長い川 367km
越後平野
磐梯山
阿武隈川
信濃川
越後山脈
阿武隈高地
佐渡島
飛驒山脈
立山
浅間山
霞ケ浦
最も広い平野
日本海
能登半島
穂高岳
八ヶ岳
関東平野
利根川
御嶽山
北岳
房総半島
白山
最も広い湖 669km²
赤石山脈
富士山
伊豆半島
大島
隠岐諸島
中海
大山
濃尾平野
琵琶湖
伊豆諸島
天竜川
竹島
中国山地
本
太
平
洋
対馬
紀伊山地
志摩半島
石鎚山
四国山地
大台ケ原山
五島列島
紀伊半島
最も高い山 3776m
八丈島
筑紫平野
くじゅう連山
雲仙岳
阿蘇山
九州山地
四万十川
天草諸島
霧島山
薩摩半島
大隅半島
種子島
宮之浦岳
屋久島

大島（奄美大島）
奄美群島
南西諸島
沖縄諸島
沖縄島
智島
父島
母島
小笠原諸島
琉球
尖閣諸島
先島諸島
大東諸島
八重山列島
北大東島
宮古列島
硫黄島
与那国島
西表島
石垣島
波照間島
北硫黄島
硫黄島
南硫黄島
太平洋

地図マスターへの道

74 ✓ 5年地形
日本では、平野と山地の面積はどちらが大きいかな。

75 ✓ 5年地形
信濃川と利根川のうち日本海へ流れていくのはどちらかな。

76 ✓ 5年地形
琵琶湖のある県の面積は、琵琶湖の面積のおよそ何倍か。

ヒント：111ページを見てみよう。

オホーツク海　択捉島
知床半島　国後島　色丹島
歯舞群島

③ 高地のくらし －八ケ岳山ろくの野菜づくり－
－2021年－

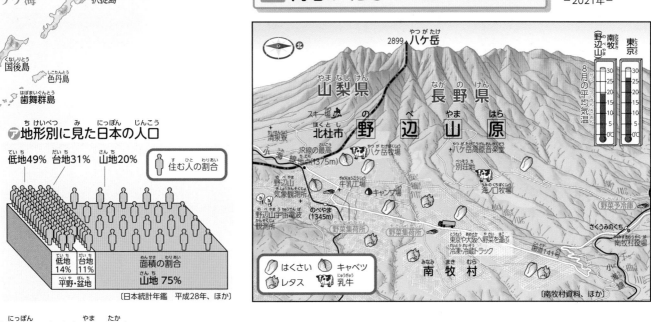

[南牧村資料、ほか]

㋐ 地形別に見た日本の人口

低地49%　台地31%　山地20%
住む人の割合

低地14%　台地11%　山地75%　平野・盆地

面積の割合

[日本統計年鑑　平成28年、ほか]

㋑ 日本のおもな山の高さ　㊀㊁㊂は高さの順位　㋔共通
※間ノ岳（山梨・静岡）の高さも同じ3190mです。
[理科年表　2023]

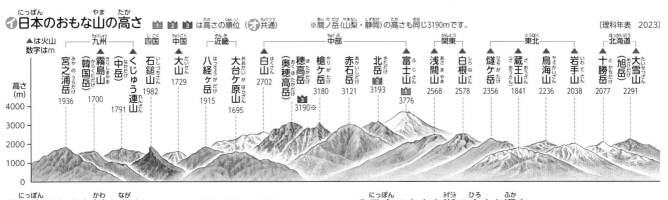

▲は火山　数字はm

九州：宮之浦岳1936　霧島山（韓国岳）1700　くじゅう連山（中岳）1791
四国：石鎚山1982
中国：大山1729
近畿：八経ケ岳1915　大台ケ原山1695
中部：白山2702　穂高岳（奥穂高岳）3190※　槍ケ岳3180　赤石岳3121　北岳3193　富士山3776
関東：浅間山2568　白根山2578
東北：燧ケ岳2356　蔵王山1841　鳥海山2236　岩手山2038
北海道：十勝岳2077　大雪山（旭岳）2291

高さ(m)

㋒ 日本のおもな川の長さ　㊀㊁㊂は長さの順位　㋕共通

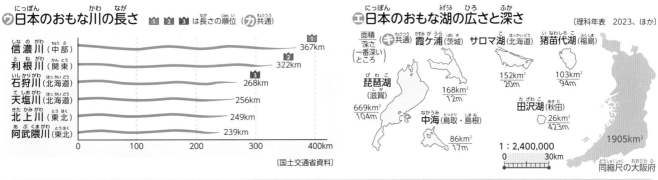

信濃川（中部）367km
利根川（関東）322km
石狩川（北海道）268km
天塩川（北海道）256km
北上川（東北）249km
阿武隈川（東北）239km

[国土交通省資料]

㋓ 日本のおもな湖の広さと深さ
[理科年表　2023、ほか]

㋖共通　霞ケ浦（茨城）　サロマ湖（北海道）　猪苗代湖（福島）
琵琶湖（滋賀）669km²/104m
霞ケ浦 168km²/12m
サロマ湖 152km²/20m
猪苗代湖 103km²/94m
田沢湖（秋田）26km²/423m
中海（鳥取・島根）86km²/17m

面積/深さ（一番深いところ）

1：2,400,000
0　30km
同縮尺の大阪府　1905km²

㋔ 世界のおもな山の高さ
比べてみよう
[理科年表　2023、ほか]

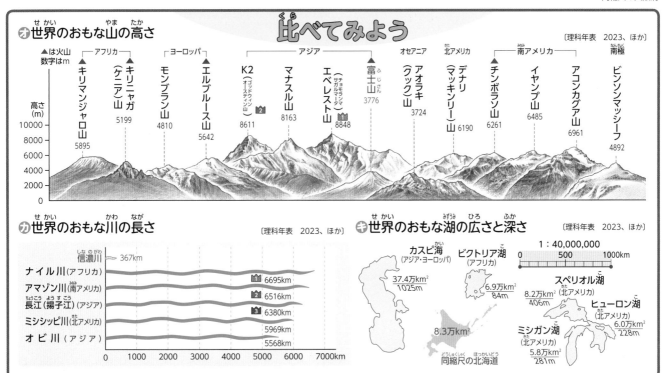

▲は火山　数字はm

アフリカ：キリマンジャロ山5895　キリニャガ（ケニア）山5199
ヨーロッパ：モンブラン山4810　エルブルース山5642
アジア：K2（ゴッドウィンオースティン山）8611　マナスル山8163　エベレスト（チョモランマ）山8848　富士山3776
オセアニア：アオラキ（クック）山3724
北アメリカ：デナリ（マッキンリー）山6190
南アメリカ：チンボラソ山6261　イヤンプ山6485　アコンカグア山6961
南極：ビンソンマッシーフ4892

高さ(m)

㋕ 世界のおもな川の長さ
[理科年表　2023、ほか]

信濃川 367km
ナイル川（アフリカ）6695km
アマゾン川（南アメリカ）6516km
長江（揚子江）（アジア）6380km
ミシシッピ川（北アメリカ）5969km
オビ川（アジア）5568km

㋖ 世界のおもな湖の広さと深さ
[理科年表　2023、ほか]

1：40,000,000
0　500　1000km

カスピ海（アジア・ヨーロッパ）37.4万km²/1025m
ビクトリア湖（アフリカ）6.9万km²/84m
スペリオル湖（北アメリカ）8.2万km²/406m
ヒューロン湖（北アメリカ）6.0万km²/228m
ミシガン湖（北アメリカ）5.8万km²/281m
8.3万km²　同縮尺の北海道

資料図

日本の自然のようす（2） 気候

にっぽんかくち 日本各地の 気温と 降水量

冬 1月

1 1月の気温

1：13,000,000

0 200km

ユーラシア大陸

ユーラシア大陸からの 冷たくかわいた風

平均気温

(℃)
16
12
8
4
0℃
-4
-8
-12

〔気象庁資料〕

日本海

しめった風

−41.0℃
最低気温を 記録したところ
(1902年1月25日)

旭川

札幌

陸別

(資料なし)

−11.1℃
1月の平均気温が 最も低いところ

仙台

上越

富山

松本

松江

広島

大阪

東京

太平洋

福岡

高松

尾鷲

宮崎

那覇

波照間
(志多阿原)

19.0℃
1月の平均気温が 最も高いところ

2 1月の降水量

1：13,000,000

0 200km

北見
(常呂)

(資料なし)

札幌

陸別

400mm以上
200～400
100～200
50～100
50mm未満

〔気象庁資料〕

711mm
年間降水量が 最も少ないところ

しめった風

仙台

A
上越

富山

松本

東京

B

松江

大阪

広島

高松

尾鷲

福岡

那覇

宮崎

太平洋

日本海

※気温・降水量の数値は、気象庁の観測所で 測定した数値で、1991～2020年の平均値です。 富士山頂などの高山は除いてあります。 なお、降水量は雨だけでなく雪もふくみます。 （1図～4図共通）

⑦ A−B間（2図）の断面と冬の季節風　（模式図）

冷たく かわいた風 / しめった風 / かわいた風

ウラジオストク / 水蒸気 / 上越 / 雪 越後山脈 / 関東平野 東京

ユーラシア大陸 / A / 日本(本州) / 房総半島 / 太平洋

5 おもな都市の気温と降水量

〔気象庁資料〕

気温と降水量のグラフ

折れ線 グラフ …月ごとの平均気温を表します。 左の目もりを使います。

最も平均気温が高い月 例 29.1℃
最も平均気温が低い月 例 17.3℃

棒 グラフ …月ごとの降水量の合計を表します。 右の目もりを使います。

最も降水量が多い月 例 284.4mm
最も降水量が少ない月 例 101.6mm

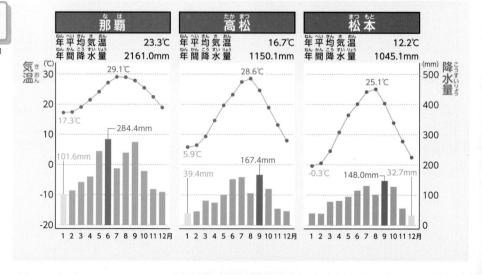

那覇	高松	松本
年平均気温 23.3℃	年平均気温 16.7℃	年平均気温 12.2℃
年間降水量 2161.0mm	年間降水量 1150.1mm	年間降水量 1045.1mm

那覇: 29.1℃ 17.3℃ 284.4mm 101.6mm

高松: 28.6℃ 5.9℃ 167.4mm 39.4mm

松本: 25.1℃ -0.3℃ 148.0mm 32.7mm

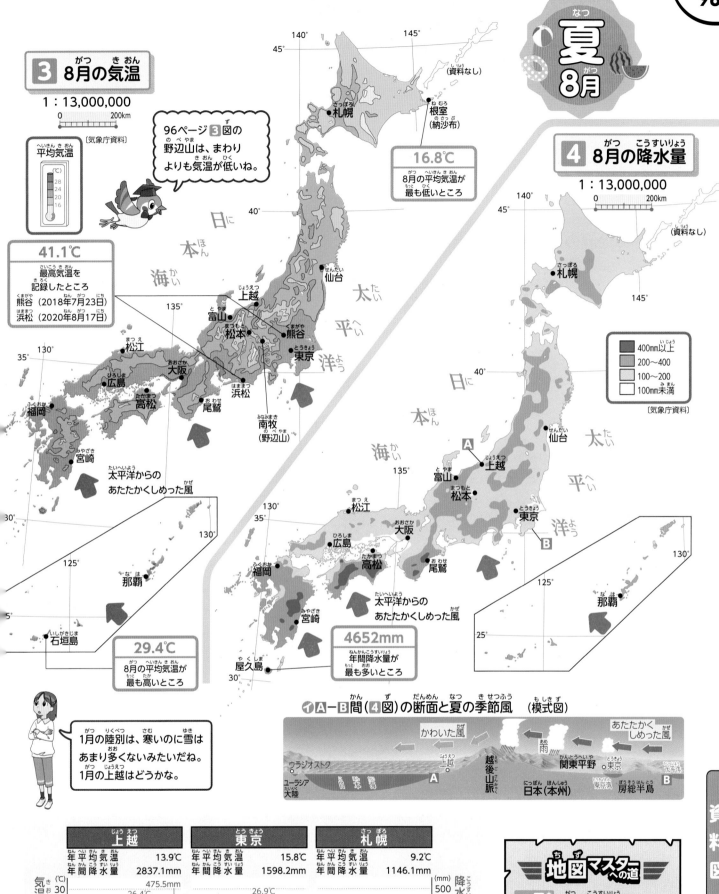

夏 8月

3 8月の気温

1：13,000,000

0 200km

〔気象庁資料〕

平均気温

(℃) 28 24 20 16

96ページ3図の野辺山は、まわりよりも気温が低いね。

16.8℃
8月の平均気温が最も低いところ

41.1℃
最高気温を記録したところ
熊谷（2018年7月23日）
浜松（2020年8月17日）

太平洋からのあたたかくしめった風

29.4℃
8月の平均気温が最も高いところ

4 8月の降水量

1：13,000,000

0 200km

（資料なし）

400mm以上
200〜400
100〜200
100mm未満

〔気象庁資料〕

太平洋からのあたたかくしめった風

4652mm
年間降水量が最も多いところ

1月の陸別は、寒いのに雪はあまり多くないみたいだね。1月の上越はどうかな。

イ A－B間（4図）の断面と夏の季節風 （模式図）

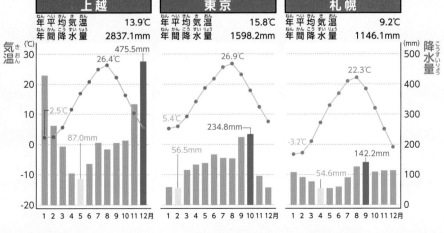

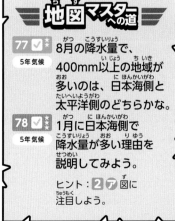

資料図

日本の自然災害と防災（1） 過去の災害事例

地勢の日本地図

1 日本で起きたおもな自然災害

1：8,000,000
0　100　200km

おもな地震の震源（1891〜2022年）
- 大震災となった地震　[ ]内の数字はマグニチュード※1
- おもな地震（マグニチュード6.7以上）
- プレートの境界
- 豪雪地帯※2
- ▲ おもな火山

[気象庁資料、ほか]

※1 マグニチュードとは、地震そのものの大きさ（規模）を表す数値のことです。
※2 国土交通省が指定した特別豪雪地帯を表しています。

2 世界の地震の分布

プレートの境界
おもな地震の震源（1900〜2019年）
[ ]内の数字はマグニチュード※1
0　3000km（ただし赤道上の長さ）

カムチャツカ地震 1952年11月4日[9.0]
アラスカ地震 1964年3月27日[9.2]
四川（汶川）地震 2008年5月12日[8.1]
東北地方太平洋沖地震 2011年3月11日[9.0]
スマトラ沖地震 2004年12月26日[9.1]
チリ地震 1960年5月22日[9.5]

[アメリカ地質調査所資料、ほか]

芸予地震（2001年3月）
鳥取県西部（2000年10）
雲仙普賢岳噴火（1990〜1995年）
対馬
朝鮮半島
熊本地震（2016年4月）
雲仙岳
阿蘇山
桜島
種子島
屋久島
大島（奄美大島）
与那国島
沖縄島
東シナ海
南西諸島海溝
南海ト
フィリピン海プレート

熊本地震
㋐地震でこわれた家々
－熊本県益城町－（2016年4月）
最大で震度7のはげしいゆれを観測し、広い範囲で建物がたおれたり、山の斜面がくずれたりしました。

東北地方太平洋沖地震
㋑津波による被害
－宮城県気仙沼市－（2011年3月）
東北地方太平洋沖地震によって巨大な津波が発生し、太平洋岸は大きな被害を受けました。気仙沼市では校舎の4階まで津波がおしよせました。

御嶽山噴
㋒火山灰や岩石が降り積もった御嶽山
－長野県王滝村・木曽町－（2014年9月）
御嶽山の噴火により山頂付近では火山灰や岩石が降りそそぎ、多くの登山者が被害にあいました。

地図マスターへの道

79 ☑ （5年 防災）
大震災となった三つの地震の震源のうち、プレートの境界から一番はなれているのはどれかな。

80 ☑ （5年 防災）
台風や豪雨の災害が起こりやすいのは、冬・春と、夏・秋のどちらかな。

ユーラシアプレート

北アメリカプレート

オホーツク海

樺太（サハリン）

択捉島

国後島

有珠山噴火（2000年3月）

大雪山

有珠山

北海道胆振東部地震（2018年9月）

十勝沖地震（2003年9月）

新潟県中越沖地震（2007年7月）

新潟県中越地震（2004年10月）

能登半島地震（2007年3月）

兵庫県南部地震（阪神・淡路大震災）1995年1月17日 [7.3]

八甲田山

鳥海山

岩手・宮城内陸地震（2008年6月）

磐梯山

御嶽山

富士山

御嶽山噴火（2014年9月）

関東地震（関東大震災）1923年9月1日 [7.9]

南海地震 1944年12月）

伊豆諸島

八丈島

〇地震 1946年12月）

東北地方太平洋沖地震（東日本大震災）2011年3月11日 [9.0]

日本海溝

伊豆・小笠原海溝

太平洋プレート

太平洋

みんなの住んでいる地域では、どのような自然災害が多いか、話し合ってみよう。

⑦おもな台風の進路

台風12号 2011（平成23）年8～9月

台風19号 1991（平成3）年9月

令和元年東日本台風 2019（令和元）年10月 ⓔ

伊勢湾台風 1959（昭和34）年9月

沖縄島

石垣島

北回帰線

枕崎台風 1945（昭和20）年9月

0 1000km

〔理科年表 2022〕

ⓚ最近のおもな気象災害（2005年以降）

発生年月	台風・豪雨・豪雪
2005年12月～2006年3月	平成18年豪雪
2009年7月	中国・九州北部豪雨
2011年8～9月	台風12号
2012年7月	九州北部豪雨
2014年7～8月	平成26年8月豪雨
2015年9月	関東・東北豪雨
2017年7月	九州北部豪雨
2018年1～2月	大雪
2018年6～7月	平成30年7月豪雨
2019年9月	令和元年房総半島台風
2019年10月	令和元年東日本台風 ⓔ
2020年7月	令和2年7月豪雨
2020年12月	大雪 ⓞ

〔気象庁資料〕

資料図

令和元年東日本台風

⑦台風による大雨で発生した水害
ー長野県長野市ー（2019年10月）
〇市で千曲川の堤防が決壊して、広い範囲の住宅が〇〇くしました。長野県全体で4000をこえる住宅が〇〇を受けました。

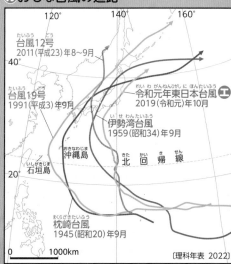

大雪

ⓞ大雪で自動車が立ち往生する高速道路
ー新潟県南魚沼市ー（2020年12月）
強い寒気が流れこみ、日本海側の地域が大雪となりました。高速道路で立ち往生した車に乗った人たちに、食料や水を差し入れています。

防災マップ
づくり、など

1 自然災害とその備え（模式図）

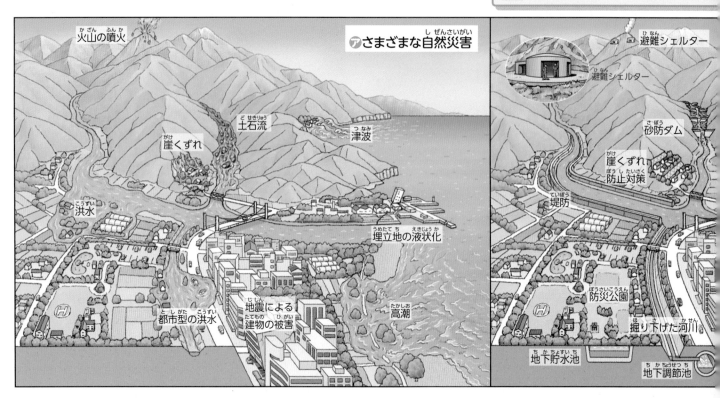

⑦さまざまな自然災害

火山の噴火

土石流

崖くずれ

津波

洪水

埋立地の液状化

都市型の洪水

地震による建物の被害

高潮

避難シェルター

避難シェルター

砂防ダム

崖くずれ防止対策

堤防

防災公園

掘り下げた河川

地下貯水池

地下調節池

2 くり返される津波と先人たちが残した教訓

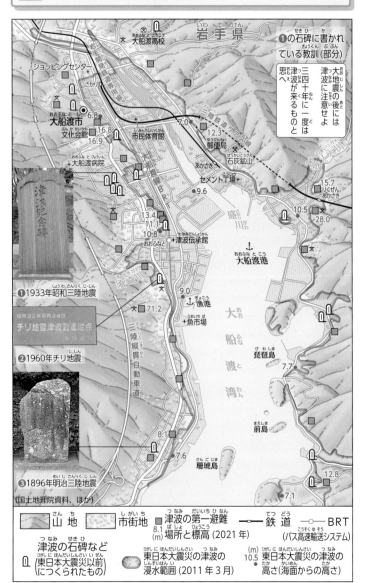

❶の石碑に書かれている教訓（部分）

大地震の後には津波に注意せよ

三四十年に一度は思へ

津波が来るものと

岩手県

大船渡高校

ショッピングセンター

大船渡市文化会館

市民体育館

大船渡病院

郵便局

石灰鉱山

セメント工場

9.6

三陸縦貫自動車道

大船渡港

津波伝承館

盛川

琵琶島

大船渡湾

前島

珊瑚島

7.1

❶1933年昭和三陸地震

チリ地震津波到達地点

❷1960年チリ地震

❸1896年明治三陸地震

〔国土地理院資料、ほか〕

山地　市街地

津波の石碑など（東日本大震災以前につくられたもの）

津波の第一避難場所と標高（2021年）8.1(m)

東日本大震災の津波の浸水範囲（2011年3月）

鉄道　BRT（バス高速輸送システム）

東日本大震災の津波の高さ（海面からの高さ）10.5(m)

3 都市部での洪水への備え

〔東京都建設局資料、ほか〕

関越自動車道

白子川地下調節池 3.2km

西武池袋線

新青梅街道

練馬区

5.4km（建設中）

板橋区

豊島区

武蔵野市

中央本線

神田川・環状七号線地下調節池

中野区

新宿区

井の頭池

京王井の頭線

善福寺川

杉並区 4.5km

青梅街道

三鷹市

中央自動車道

甲州街道

神田川

首都高速4号

京王線

0 2km

⑦地下調節池の分布

都市部では、大雨になると雨水が地面にしみていかず、川に集中して流れこんでいきます。川の水があふれるのを防ぐため、地下に雨水をためる地下調節池が川の近くに整備されるようになりました。

地下調節池のあるところ

取水施設

区役所

調節池（計画・建設中をふくむ）

1982年の洪水の浸水地域

ー大雨のときー

取水施設

環七通り

ゲートを開いて川の水を地下調節池に流す

ゲート

ー雨があがったときー

取水施設

環七通り

約40m

12.5m

排水ポンプ

排水ポンプを使って地下の水を川にもどす

⊆地下調節池のしくみ（模式図）

4 地震の被害と防災への取り組み

① さまざまな防災への取り組み

SDGs

- 津波避難タワー
- 防潮堤
- 砂防ダム
- 液状化対策をした埋立地
- 防潮林
- 津波避難タワー
- 震・耐震工事をしたビル
- かさ上げした道路

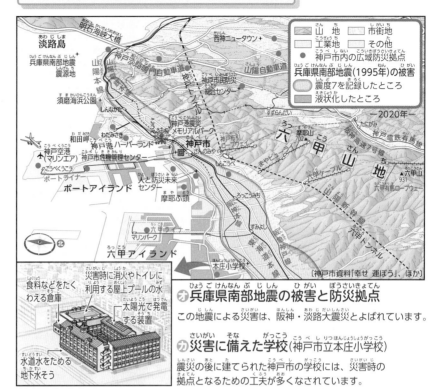

凡例
- 山地
- 工業地
- 市街地
- その他
- 神戸市内の広域防災拠点

兵庫県南部地震(1995年)の被害
- 震度7を記録したところ
- 液状化したところ
—2020年—

明石海峡大橋
淡路島
兵庫県南部地震震源地
西神ニュータウン
神戸淡路鳴門自動車道
神戸市民防災総合センター
山陽自動車道
須磨海浜公園
和田岬
神戸港・ハーバーランド
神戸空港(マリンエア)
神戸市危機管理センター
神戸港震災メモリアルパーク
神戸市
摩耶山
六甲ケーブル
六甲有馬ロープウェー
六甲山地
六甲山
931
ポートライナー
人と防災未来センター
摩耶ふ頭
ポートアイランド
六甲ライナー
マリンパーク
六甲アイランド
本庄小学校

[神戸市資料「幸せ 運ぼう」、ほか]

オ 兵庫県南部地震の被害と防災拠点
この地震による災害は、阪神・淡路大震災とよばれています。

- 食料などをたくわえる倉庫
- 災害時に消火やトイレに利用する屋上プールの水
- 太陽光で発電する装置
- 水道水をためる地下水そう

カ 災害に備えた学校(神戸市立本庄小学校)
震災の後に建てられた神戸市の学校には、災害時の拠点となるための工夫が多くなされています。

防災マップづくり **SDGs**

自然災害から身を守るためには、堤防などの施設だけでなく、わたしたちがどのように行動するかも大切です。町歩きで学校のまわりの防災マップをつくって、災害のときに危険な場所、安全な避難方法などを考えてみましょう。

> ハザードマップとは、市区町村などがつくる自然災害の被害が予想される範囲、避難場所などを示した地図だよ。

わたしたちの町の水害・土砂災害防災マップ

- 水がこないところに神社はあった
- 石だん
- 深く水につかるところは、広い田んぼだった
- 昔の水害の日
- 標高4mの表示がある
- 急傾斜地崩壊危険区域
- 小学校
- 保育園
- 公園
- 公民館
- スーパーマーケット
- 中学校
- ひなん所の近くまで水がくるかも
- 標高5mの表示がある
- 北

凡例
- ひなん所
- アンダーパス
- 標高表示
- 水位計
- きゅうけいしゃ地ほうかい危険か所の表示

ハザードマップからわかること
しんすいするところ
- 3.0~5.0m
- 0.5~3.0m
- 土砂災害けいかい区域
- 河せんじき

わかったこと・感想
- 川からはなれていても、水がくるところがある。
- 災害の時、どこにあつまるか家族で決めておく。

①地図のテーマを決める
- あなたの住む市区町村のハザードマップから、身近な地域で起こりやすい自然災害を確認して、テーマを決める。

②町歩きの準備をする
- 調査をする範囲を決め、白地図を用意する(先生からもらう)。ハザードマップから災害が予想されているところを記入しておく。

③町歩きで調査をする
- 危険な道や場所を白地図に書きこむ。災害が予想される場所に行って確認する。

④防災マップにまとめる
- 調べてきたものをまとめ、防災マップをつくる。気づいたことを白地図に書きこむ。

⑤グループごとに地図を発表する
- 発表の後、見ている人から質問を受けて発表の感想も教え合う。

地図マスターへの道

81 ☑ 4年 防災
101ページの2図で、津波の第一避難場所はどのようなところにあるかな。

82 ☑ 4年 防災
102ページの防災マップで、水害にあうおそれが大きいのは老人ホームと小学校のどちらかな。その理由も説明してみよう。

日本の産業のようす（1）

農水産業

あたたかい地方のくらしと産業、など

1 農業のようす（模式図）

棚田　平地が少ない地域にみられます

果樹園　日あたりのよい斜面などにみられます

茶畑　暖かい地域の台地などにみられます

畑　水はけのよい台地に多くみられます

田　水を得やすい平地に多くみられます

2図には、112ページの②図で生産量の多い都道府県の農産物がのっているよ。

凡例

田　市街地
畑　森林・その他
果樹園

高原野菜づくりやハウスさいばいのさかんなところ

みかん — 全国で生産が上位のもの —おもに2021年—

全国で生産が1位のもの —おもに2021年—

［農林水産省資料、ほか］

2 土地利用とおもな農産物の産地

1：7,000,000

0　100km

北海道　米

青森県　りんご

秋田県　米

岩手県　にわとり（肉用）　ぶた

山形県　さくらんぼ　米　ぶどう

宮城県　米

新潟県　米

福島県　もも　きゅうり

長野県　レタス　りんご　ぶどう

栃木県　いちご

山梨県　もも　ぶどう

茨城県　さつまいも　レタス

岡山県　ぶどう

愛媛県　みかん

福岡県　いちご

千葉県　米　きゅうり

長崎県　いちご

熊本県　いちご　みかん　肉牛

宮崎県　きゅうり　にわとり（肉用）　ぶた　肉牛

和歌山県　みかん

愛知県　キャベツ　いちご

静岡県　茶　みかん

埼玉県

群馬県　キャベツ　きゅうり　ぶた　レタス

千葉県　キャベツ　きゅうり　ぶた

鹿児島県　さとうきび

鹿児島県　さつまいも　茶　肉牛　ぶた　にわとり（肉用）

沖縄県　さとうきび

地図マスターへの道

83 ✓ 5年農業　みかんの生産量が第1位の県を答えよう。

84 ✓ 5年水産業　水あげ量が多い漁港を上位三つ答えよう。

85 ✓ 5年農業　田が広がっているところの地形の特ちょうを、95〜96ページの②図から説明してみよう。

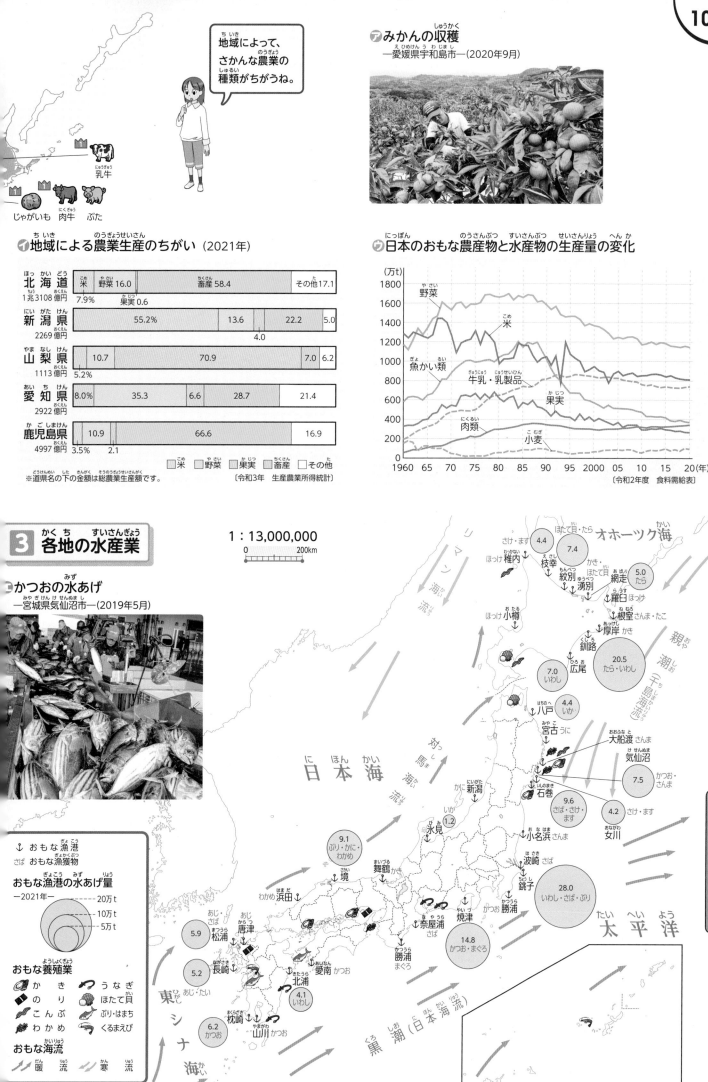

地域によって、さかんな農業の種類がちがうね。

⑦みかんの収穫
—愛媛県宇和島市—（2020年9月）

⑦地域による農業生産のちがい（2021年）

	米	野菜	果実	畜産	その他
北海道 1兆3108億円	7.9%	16.0	0.6	58.4	17.1
新潟県 2269億円	55.2%	13.6	4.0	22.2	5.0
山梨県 1113億円	5.2%	10.7	70.9	7.0	6.2
愛知県 2922億円	8.0%	35.3	6.6	28.7	21.4
鹿児島県 4997億円	3.5%	10.9	2.1	66.6	16.9

□米 □野菜 □果実 □畜産 □その他

※道県名の下の金額は総農業生産額です。〔令和3年 生産農業所得統計〕

⑦日本のおもな農産物と水産物の生産量の変化

（万t）野菜・米・魚かい類・牛乳・乳製品・果実・肉類・小麦

〔令和2年度 食料需給表〕

3 各地の水産業

1：13,000,000　0　200km

□かつおの水あげ
—宮城県気仙沼市—（2019年5月）

↓ おもな漁港
さば おもな漁獲物

おもな漁港の水あげ量 —2021年—
20万t / 10万t / 5万t

おもな養殖業
かき・うなぎ・のり・ほたて貝・こんぶ・ぶり・はまち・わかめ・くるまえび

おもな海流
暖流・寒流

〔2021年 水産物流通調査、ほか〕

日本の産業のようす（２）　工業・エネルギー

環境のまち
北九州市、など

⑦日本の工業の内訳（2020年）

全国　303兆5547億円

〔令和3年　経済センサス・活動調査〕

機械 45.0 %			石油・化学 18.3	鉄鋼・金属 13.1	食品 12.9	その他 10.7
輸送機械 19.8	電気機械 12.8	その他 12.4				

⑦工業の種類

機械工業
- （輸送機械）自動車・自動車部品など
- （電気機械）スマートフォン、冷蔵庫など

石油・化学工業
- タイヤ
- 医薬品
- プラスチック、ガソリンなど

鉄鋼・金属工業
- 製鉄・鉄鋼、金属加工など

食品工業
- ハム
- パン
- かんづめなど

①製油所と石油化学コンビナート
ー千葉県市原市ー（2020年）

⑦名古屋港での自動車の輸出
ー愛知県名古屋市ー（2019年）

1 工業の分布

1：6,000,000
0　　100km

⑦工業生産（出荷額）の多い県（2020年）

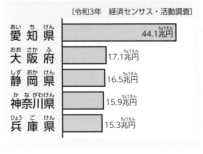

〔令和3年　経済センサス・活動調査〕

県	出荷額
愛知県	44.1兆円
大阪府	17.1兆円
静岡県	16.5兆円
神奈川県	15.9兆円
兵庫県	15.3兆円

凡例
- 自動車・自動車部品
- 電気機械
- 製鉄・鉄鋼
- 製油
- 食品工業
- ━━ 高速道路・おもな自動車専用道路
- 赤文字　工業出荷額の多い県
- 青文字　工業地帯・地域名

〔金融庁資料、ほか〕

北陸工業地域

阪神工業地帯

北九州工業地帯
北九州工業地域とよばれることもあります。

京浜工業地帯

静岡県

神奈川県

東海工業地域

中京工業地帯

愛知県

大阪府

兵庫県

太平洋ベルト

瀬戸内工業地域

室蘭

仙台

太田

諏訪

東京

千葉

横浜

名古屋

豊田

鈴鹿

浜松

静岡

広島

福山

倉敷

姫路

大阪

和歌山

北九州

関門

大分

熊本

太平洋ベルトの海沿いに工場が集まっている理由を話し合ってみよう。

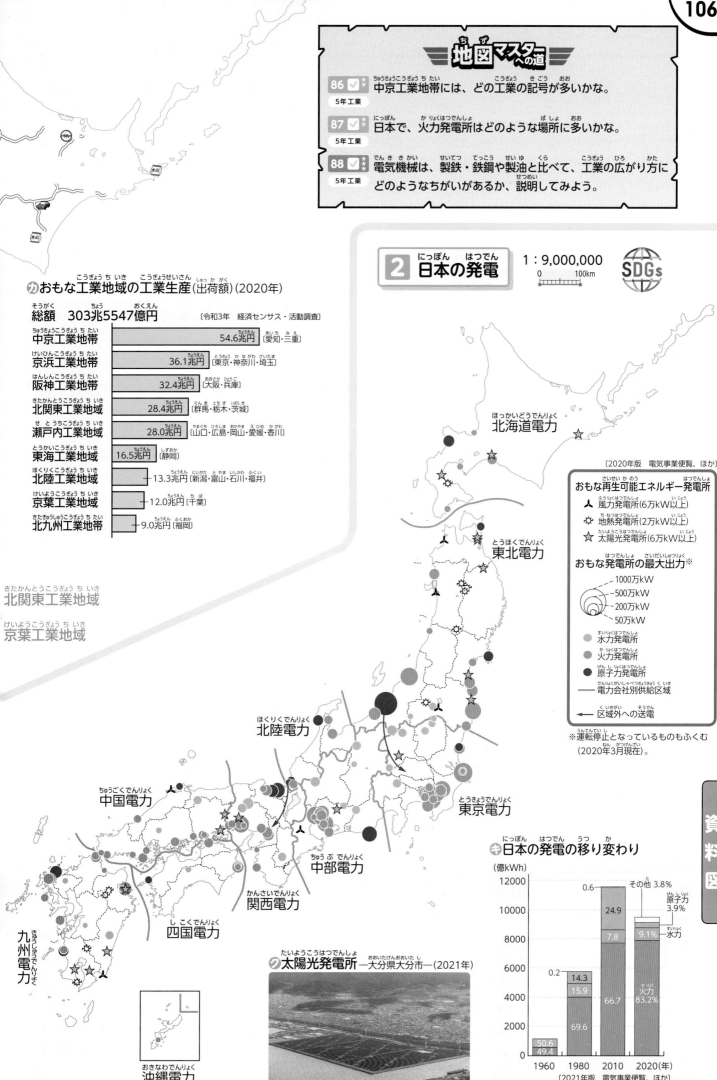

地図マスターへの道

86 ✅ 5年工業　中京工業地帯には、どの工業の記号が多いかな。

87 ✅ 5年工業　日本で、火力発電所はどのような場所に多いかな。

88 ✅ 5年工業　電気機械は、製鉄・鉄鋼や製油と比べて、工業の広がり方にどのようなちがいがあるか、説明してみよう。

⑦ おもな工業地域の工業生産(出荷額)(2020年)

総額　303兆5547億円　〔令和3年　経済センサス・活動調査〕

- 中京工業地帯 **54.6兆円**〔愛知・三重〕
- 京浜工業地帯 **36.1兆円**〔東京・神奈川・埼玉〕
- 阪神工業地帯 **32.4兆円**〔大阪・兵庫〕
- 北関東工業地域 **28.4兆円**〔群馬・栃木・茨城〕
- 瀬戸内工業地域 **28.0兆円**〔山口・広島・岡山・愛媛・香川〕
- 東海工業地域 **16.5兆円**〔静岡〕
- 北陸工業地域 13.3兆円〔新潟・富山・石川・福井〕
- 京葉工業地域 12.0兆円〔千葉〕
- 北九州工業地帯 9.0兆円〔福岡〕

北関東工業地域

京葉工業地域

2 日本の発電

1：9,000,000

0　　100km

SDGs

〔2020年版　電気事業便覧、ほか〕

北海道電力

東北電力

おもな再生可能エネルギー発電所
- ⊁ 風力発電所(6万kW以上)
- ⚙ 地熱発電所(2万kW以上)
- ☆ 太陽光発電所(6万kW以上)

おもな発電所の最大出力※
- 1000万kW
- 500万kW
- 200万kW
- 50万kW

- 水力発電所
- 火力発電所
- 原子力発電所
- 電力会社別供給区域
- → 区域外への送電

※運転停止となっているものもふくむ
(2020年3月現在)。

北陸電力

中国電力

東京電力

中部電力

関西電力

四国電力

九州電力

沖縄電力

⑦ 太陽光発電所—大分県大分市—(2021年)

④ 日本の発電の移り変わり

(億kWh)

(年)	水力	火力	原子力	その他
1960	50.6	49.4		
1980	15.9	69.6	14.3	0.2
2010	7.8	66.7	24.9	0.6
2020	9.1%	83.2%	3.9%	3.8%

〔2021年版　電気事業便覧、ほか〕

資料図

下の地図では、➡や➡の太さは金額の大きさを表しているよ。

1 日本の貿易

㋐ 日本のおもな輸入相手国・地域（2021年）

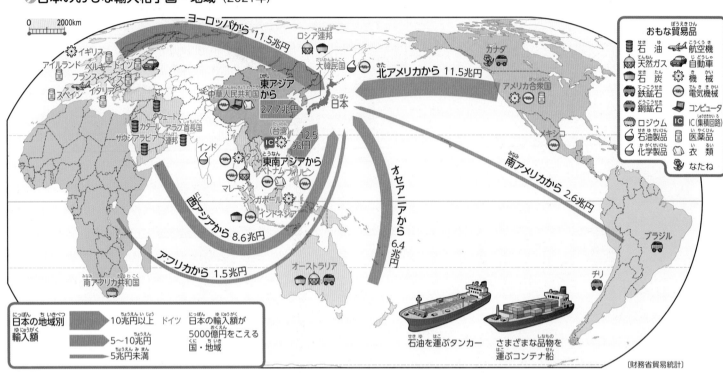

おもな貿易品
- 石油
- 天然ガス
- 石炭
- 鉄鉱石
- 銅鉱石
- ロジウム
- 石油製品
- 化学製品
- なたね
- 航空機
- 自動車
- 機械
- 電気機械
- コンピュータ
- IC（集積回路）
- 医薬品
- 衣類

ヨーロッパから 11.5兆円
ロシア連邦
カナダ
北アメリカから 11.5兆円
アメリカ合衆国
メキシコ
東アジアから 27.7兆円
中華人民共和国
大韓民国
台湾 12.5兆円
東南アジアから
ベトナム フィリピン
マレーシア
シンガポール
インドネシア
インド
クウェート アラブ首長国連邦
カタール
サウジアラビア
西アジアから 8.6兆円
南アメリカから 2.6兆円
ブラジル
チリ
オセアニアから 6.4兆円
オーストラリア
アフリカから 1.5兆円
南アフリカ共和国

日本の地域別輸入額
- 10兆円以上　ドイツ 日本の輸入額が5000億円をこえる国・地域
- 5〜10兆円
- 5兆円未満

石油を運ぶタンカー　さまざまな品物を運ぶコンテナ船

〔財務省貿易統計〕

㋑ 日本のおもな輸出相手国・地域（2021年）

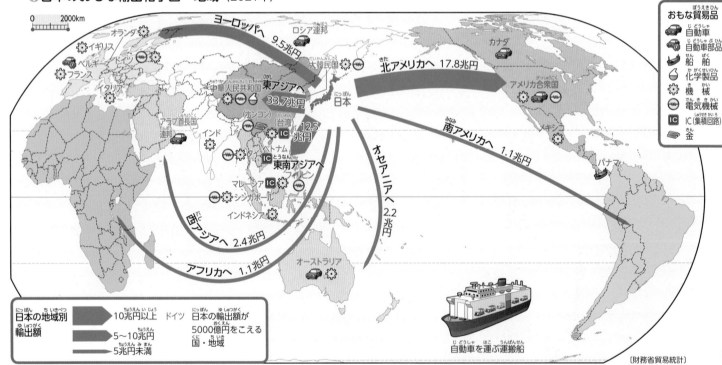

おもな貿易品
- 自動車
- 自動車部品
- 船舶
- 化学製品
- 機械
- 電気機械
- IC（集積回路）
- 金

ヨーロッパへ 9.5兆円
オランダ
イギリス
ベルギー ドイツ
フランス
イタリア
ロシア連邦
カナダ
北アメリカへ 17.8兆円
アメリカ合衆国
メキシコ
東アジアへ 33.7兆円
中華人民共和国
大韓民国
（ホンコン）
（台湾）12.5兆円
ベトナム
東南アジアへ
フィリピン
マレーシア
シンガポール
インドネシア
インド
アラブ首長国連邦
西アジアへ 2.4兆円
南アメリカへ 1.1兆円
パナマ
オセアニアへ 2.2兆円
オーストラリア
アフリカへ 1.1兆円

日本の地域別輸出額
- 10兆円以上　ドイツ 日本の輸出額が5000億円をこえる国・地域
- 5〜10兆円
- 5兆円未満

自動車を運ぶ運搬船

〔財務省貿易統計〕

㋒ 日本の輸入品と輸出品の変化

〔財務省貿易統計、ほか〕

輸入

	機械類	化学製品	石油	石炭・天然ガス	食料品	衣類など	鉄鉱石・銅鉱石など	その他
1975年 17兆円	7.4%	3.6	36.3		15.2	2.3	8.0 / 7.6	19.6
2021年 85兆円	機械類 29.0%（電気16.1 自動車1.6 その他11.3）		11.5	10.7	8.7	9.4	4.5 / 5.8	20.4

輸出

	機械類	化学製品	鉄鋼	衣類など	その他
1975年 17兆円	機械類 53.8%（電気12.4 自動車11.1 その他30.3）	7.0	18.2	6.7	14.3
2021年 83兆円	機械類 57.6%（電気18.4 自動車12.9 その他26.3）	12.7	4.6	0.9	24.2

日本の輸出品の変化から、日本の工業にどのような変化があったと考えられるか話し合ってみよう。

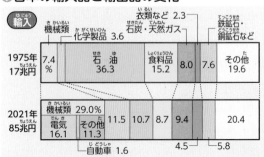

2 日本の食料問題 SDGs

エ 日本の食料自給率※（2020年）

🌾 日本がその品目を
最も輸入している国

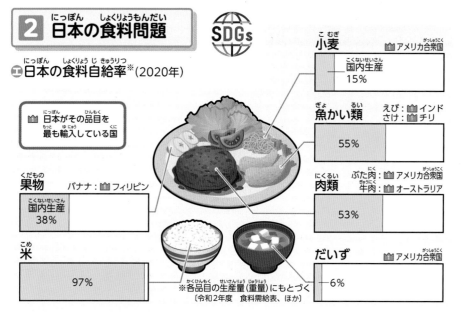

果物（くだもの）バナナ：🌾フィリピン
国内生産 38%

米（こめ） 97%

小麦（こむぎ）🌾アメリカ合衆国
国内生産 15%

魚かい類（ぎょかいるい）えび：🌾インド さけ：🌾チリ
55%

肉類（にくるい）ぶた肉：🌾アメリカ合衆国 牛肉：🌾オーストラリア
53%

だいず 🌾アメリカ合衆国
6%

※各品目の生産量（重量）にもとづく〔令和2年度 食料需給表、ほか〕

オ 日本の食品ロス（2020年）

〔農林水産省・環境省資料〕

食品ロス量 522万t

事業系 52.7%			家庭系 47.3
外食産業 15.5	食品製造業 23.2	11.5	

食品卸売業（輸入会社など）2.5
食品小売業（スーパーなど）
外食産業（レストランなど）

家庭系の内訳 247万t 過剰除去※2

食べ残し 42.5%	直接廃棄※1 44.1	13.4

※1 賞味期限切れなどにより未開封のまま捨てられた食品
※2 厚くむきすぎた野菜の皮などのまだ食べられる部分

 本来食べられるにもかかわらず捨てられてしまう食べ物を、「食品ロス」とよんでいるよ。

3 世界の食料問題 SDGs

カ ハンガーマップ※

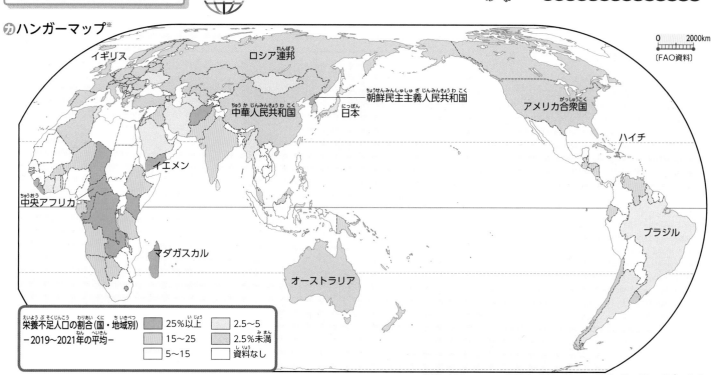

栄養不足人口の割合（国・地域別）－2019～2021年の平均－
25%以上 / 15～25 / 5～15 / 2.5～5 / 2.5%未満 / 資料なし

※十分な食事がとれず、健康的な生活を送れない人々が多い場所を表した地図

4 日本と世界の人を通じた結びつき

キ 日本を訪れる外国人と外国を訪れる日本人の数

ク 日本を訪れる外国人の内訳（2019年）

総数3188万人
中国 30.1% / 韓国 17.5 / 台湾 15.3 / ホンコン 7.2 / アメリカ合衆国 5.4 / タイ 4.1 / その他 20.4
〔日本政府観光局（JNTO）資料〕

ケ 日本で暮らす外国人の出身地（2021年）

総数276万人
中国 26.0% / 韓国・朝鮮 15.8 / ベトナム 15.7 / フィリピン 10.0 / ブラジル 7.4 / その他 25.1
〔在留外国人統計〕

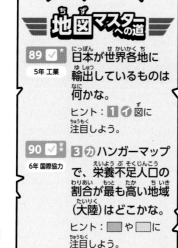

地図マスターへの道

89 5年 工業 日本が世界各地に輸出しているものは何かな。ヒント：1 イ 図に注目しよう。

90 6年 国際協力 3 カ ハンガーマップで、栄養不足人口の割合が最も高い地域（大陸）はどこかな。ヒント：▨ や ▨ に注目しよう。

資料図

さまざまな
歴史地図

1 日本のおもなできごと

時代	年	おもなできごと（→58ページは地図帳の参照ページ、○はそのころの社会の動き）
日本のはじまり（縄文・弥生・古墳）		○動物や魚をとり、木の実などを集める生活
		○大陸から米づくりが伝わる（登呂遺跡→58ページなど）
	239	卑弥呼が中国へ使いをおくる
飛鳥		○大陸から仏教が伝わる
	593	聖徳太子が摂政となる
	607	小野妹子らを遣隋使として隋（中国）におくる
	630	遣唐使が始まる（～894年）
	645	大化の改新
奈良	710	平城京に都を移す→48ページ
	752	東大寺の大仏が建てられる→48ページ
平安	794	平安京に都を移す→48ページ
	1016	藤原道長が摂政になる
	1167	平清盛が太政大臣になる
	1185	壇ノ浦の戦い→39ページ
	1192	源頼朝が征夷大将軍になる（鎌倉幕府）→64ページ
鎌倉	1274 / 1281	元が2度日本に攻めてくる（元寇防塁跡）→37ページ
室町	1338	足利尊氏が征夷大将軍になる
	1397	足利義満が鹿苑寺（金閣寺）を建てる→48ページ
	1467	応仁の乱（～1477年）
	1482	足利義政が慈照寺（銀閣寺）を建てる→48ページ
	1543	種子島に鉄砲が伝わる→36ページ
	1549	ザビエルがキリスト教を伝える→36ページ
	1573	織田信長が室町幕府をほろぼす
安土・桃山	1590	豊臣秀吉が全国を統一する
	1600	関ヶ原の戦い→58ページ
江戸	1603	徳川家康が江戸に幕府を開く（江戸城跡）→64ページ
	1637	島原・天草一揆（～1638年）→35ページ
	1641	平戸のオランダ商館を出島に移す→35ページ
	1800	伊能忠敬が日本地図測量に出発する
	1853	ペリーが浦賀に来航する（ペリー上陸地）→64ページ
	1868	江戸を東京と改め、翌年首都とする
明治		○板垣退助らによる自由民権運動がさかんになる
	1885	伊藤博文が最初の内閣総理大臣になる
	1889	大日本帝国憲法が発布される
	1894	日清戦争（～1895年）
	1904	日露戦争（～1905年）
	1911	小村寿太郎により条約改正が達成される
大正	1914	第一次世界大戦（～1918年）
	1923	関東大震災
昭和	1939	第二次世界大戦（～1945年）
	1941	太平洋戦争（アジア・太平洋戦争）（～1945年）
	1945	広島と長崎に原子爆弾が投下される→43ページ 日本が降伏する
	1946	日本国憲法が公布される
	1951	サンフランシスコ平和条約が結ばれる
	1956	日本が国際連合に加盟する
	1964	東京でオリンピックが開かれる
	1972	沖縄が日本に復帰する
平成	1995	阪神・淡路大震災
	2011	東日本大震災
令和	2021	東京で2回目のオリンピックが開かれる

（左欄の時代区分：日本のはじまり／貴族の世の中／武士の世の中／近代の世の中／現代の世の中）

聖徳太子
大仏と東大寺
金閣寺
ザビエル
伊能忠敬
ペリー
伊藤博文
国際連合の旗

2 鎌倉のようす

（地図内の地名）
北
おおふな
横須賀線
円覚寺 建長寺 幕府所在地（1185～1225年） 浄妙寺
きたかまくら
巨福呂坂
荏柄天神社
釈迦堂
浄智寺 亀ヶ谷坂
化粧坂 鶴岡八幡宮
寿福寺 鎌倉幕府
かまくら
幕府所在地（1225～1333年）
鎌倉市役所◎
大仏坂
高徳院（鎌倉大仏） 若宮大路
材木座海岸
長谷寺
江ノ島電鉄
由比ヶ浜 滑川 和賀江島
極楽寺坂
相模湾
稲村ヶ崎
朝比奈

切通し

山を切り開いてつくられた道。両側が高く、通路はせまいので敵の侵入を防ぐのにも役立った。左の写真は名越切通し。

（地図内の地名・注記）
朝鮮通信使…朝鮮通信使→43ページ、ほか
元との戦い…元寇防塁跡→37ページ
オランダ人との交易…出島→35ページ
壇ノ浦の戦い→39ページ
元寇防塁跡→37ページ
出島→35ページ
島原・天草一揆→35ページ
鑑真上陸地→36ページ
平安京・金閣寺→48
隠岐
山陰道
石見 出雲 伯耆 因幡 但馬
安芸 備後 備中 美作 播磨
山陽道 備前 淡路
長門 周防 讃岐 阿波
対馬
壱岐 筑前 豊前 伊予 土佐 畿内
肥前 筑後 豊後 南海道
肥後
日向 西海道
薩摩 大隅
大隅
（琉球）→首里城跡→33ページ②ア4

3 日本の昔の境界とおもなできごと

1：6,500,000

0 〜 100km

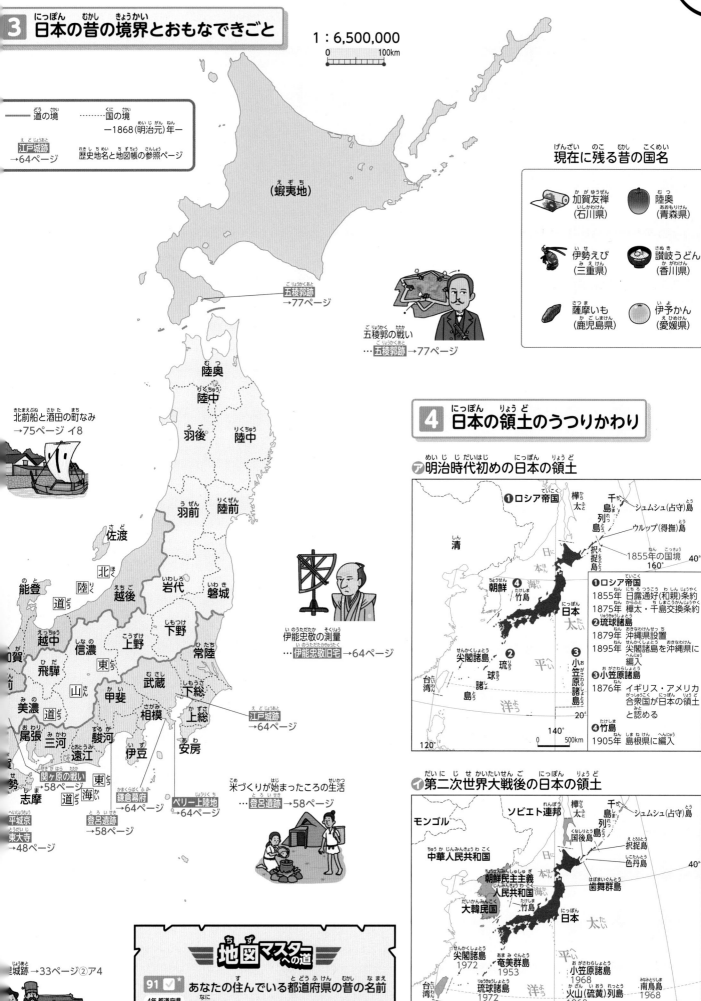

―― 道の境　…… 国の境
―1868 (明治元) 年―

江戸城跡
→64ページ　歴史地名と地図帳の参照ページ

(蝦夷地)

五稜郭跡
→77ページ

五稜郭の戦い
…五稜郭跡→77ページ

現在に残る昔の国名

加賀友禅 (石川県)	陸奥 (青森県)
伊勢えび (三重県)	讃岐うどん (香川県)
薩摩いも (鹿児島県)	伊予かん (愛媛県)

北前船と酒田の町なみ
→75ページ イ8

陸奥
陸中
羽後　陸中
羽前　陸前
佐渡
北　陸　岩代　磐城
能登　越後
越中　道　信濃　上野　常陸
飛驒　東　下野
加　山　甲斐　武蔵
美濃　道　下総
尾張　駿河　上総
三河　遠江　相模　安房
勢　伊豆
関ヶ原の戦い →58ページ
志摩　東　鎌倉幕府→64ページ
平城京　海　道　登呂遺跡→58ページ
東大寺　ペリー上陸地→64ページ
→48ページ　江戸城跡→64ページ

伊能忠敬の測量
…伊能忠敬旧宅→64ページ

米づくりが始まったころの生活
…登呂遺跡→58ページ

城跡→33ページ②ア4

4 日本の領土のうつりかわり

⑦ 明治時代初めの日本の領土

①ロシア帝国　樺太　千島列島　シュムシュ(占守)島
清　ウルップ(得撫)島
朝鮮　④竹島　1855年の国境　160° 40°
日本　太
尖閣諸島　②　③小笠原諸島　平
台湾　琉球諸島　洋　20°
140°　0　500km
120°

①ロシア帝国
1855年 日露通好(和親)条約
1875年 樺太・千島交換条約
②琉球諸島
1879年 沖縄県設置
1895年 尖閣諸島を沖縄県に編入
③小笠原諸島
1876年 イギリス・アメリカ合衆国が日本の領土と認める
④竹島
1905年 島根県に編入

⑦ 第二次世界大戦後の日本の領土

モンゴル　ソビエト連邦　樺太　千島列島　シュムシュ(占守)島
中華人民共和国　国後島　択捉島
朝鮮民主主義人民共和国　色丹島　40°
大韓民国　竹島　歯舞群島
尖閣諸島 1972　日本　太
奄美群島 1953
琉球諸島 1972　小笠原諸島 1968　平
台湾　火山(硫黄)列島 1968　南鳥島 1968　洋　20°
沖ノ鳥島 1968　140°　160°
120°　0　500km
フィリピン

第二次世界大戦前(1939年)の日本
サンフランシスコ平和条約(1951年)後の日本
1968 アメリカ合衆国から日本へ返還された年

地図マスターへの道

91 4年 都道府県
あなたの住んでいる都道府県の昔の名前は何かな。

92 6年 鎌倉時代
109ページの②図を見て、幕府がおかれた鎌倉の地形の特色を説明してみよう。

資料図

①都道府県別の統計

赤太字は1位、赤字は2位から5位までの都道府県をしめす。

都道府県	都道府県庁の所在地とその人口(万人) 2022年1月現在	面積(km²) 2022年	人口(万人) 2022年	人口密度(人/km²) 2022年	農業生産(億円) 2021年	米(万t) 2021年	野菜(億円) 2021年	果実(億円) 2021年	畜産(億円) 2021年	材木(素材)(万m³) 2021年	魚かい類(万t) 2020年	工業生産(億円) 2020年	鉄鋼・金属(億円) 2020年
1 北海道 (ほっかいどう)	札幌 (さっぽろ) 196.0	83,424	518	62	13,108	57.4	2,094	77	7,652	316	99.6	56,493	6,944
2 青森 (あおもり)	青森 (あおもり) 27.5	9,646	124	129	3,277	25.7	753	1,094	947	97	17.6	16,872	3,798
3 岩手 (いわて)	盛岡 (もりおか) 28.5	15,275	120	79	2,651	26.9	245	132	1,701	143	9.7	25,033	▪ 2,198
4 宮城 (みやぎ)	仙台 (せんだい) 106.5	・ 7,282	226	311	1,755	35.3	271	22	753	63	24.9	43,853	▪ 4,060
5 秋田 (あきた)	秋田 (あきた) 30.3	11,638	95	82	1,658	50.1	285	75	356	118	0.6	13,171	1,702
6 山形 (やまがた)	山形 (やまがた) 24.2	・ 9,323	105	113	2,337	39.4	455	694	392	31	0.5	28,441	1,833
7 福島 (ふくしま)	福島 (ふくしま) 27.3	13,784	184	134	1,913	33.6	431	297	475	89	7.3	47,903	5,137
8 茨城 (いばらき)	水戸 (みと) 27.1	6,098	289	474	4,263	34.5	1,530	120	1,311	40	▪ 30.6	122,108	21,421
9 栃木 (とちぎ)	宇都宮 (うつのみや) 51.9	6,408	194	303	2,693	30.1	707	88	1,287	66	0.1	82,639	10,722
10 群馬 (ぐんま)	前橋 (まえばし) 33.3	6,362	194	305	2,404	7.3	891	79	1,158	25	0.03	79,328	8,065
11 埼玉 (さいたま)	さいたま 133.2	・ 3,798	738	1,945	1,528	15.2	743	53	264	7	0.0003	129,533	15,953
12 千葉 (ちば)	千葉 (ちば) 97.6	5,157	631	1,224	3,471	27.8	1,280	101	1,094	5	▪ 10.3	119,770	24,722
13 東京 (とうきょう)	東京 (とうきょう)23区 952.2	2,194	1,379	6,287	196	0.05	100	28	18	6	▪ 4.6	72,029	5,891
14 神奈川 (かながわ)	横浜 (よこはま) 375.5	2,416	921	3,814	660	1.4	332	73	150	1	▪ 3.2	159,161	14,281
15 新潟 (にいがた)	新潟 (にいがた) 77.9	・ 12,584	218	174	2,269	62.0	309	90	504	12	2.9	47,784	8,252
16 富山 (とやま)	富山 (とやま) 41.1	・ 4,248	103	244	545	20.0	52	19	83	11	2.6	36,649	9,073
17 石川 (いしかわ)	金沢 (かなざわ) 44.8	4,186	112	269	480	12.5	98	33	94	11	5.5	26,498	2,139
18 福井 (ふくい)	福井 (ふくい) 25.9	4,191	76	183	394	12.6	81	12	49	12	1.2	21,594	2,773
19 山梨 (やまなし)	甲府 (こうふ) 18.6	・ 4,465	81	183	1,113	2.6	119	789	78	13	0.1	25,409	1,500
20 長野 (ながの)	長野 (ながの) 37.1	・ 13,562	205	152	2,624	19.0	866	870	262	46	0.1	60,729	5,107
21 岐阜 (ぎふ)	岐阜 (ぎふ) 40.4	・ 10,621	199	188	1,104	10.3	353	61	424	39	0.1	56,708	7,875
22 静岡 (しずおか)	静岡 (しずおか) 68.9	・ 7,777	365	470	2,084	7.7	591	282	544	61	▪ 18.9	165,147	12,589
23 愛知 (あいち)	名古屋 (なごや) 229.3	・ 5,173	752	1,455	2,922	13.1	1,031	192	840	14	6.9	441,162	43,164
24 三重 (みえ)	津 (つ) 27.4	・ 5,774	178	309	1,067	13.0	150	69	466	28	14.5	105,138	9,518
25 滋賀 (しが)	大津 (おおつ) 34.4	・ 4,017	141	352	585	15.6	102	7	114	7	0.1	76,155	▪ 5,897
26 京都 (きょうと)	京都 (きょうと) 138.8	4,612	251	545	663	7.2	248	19	148	16	1.1	53,048	3,537
27 大阪 (おおさか)	大阪 (おおさか) 273.2	1,905	880	4,619	296	2.3	137	64	19	* —	▪ 1.5	171,202	33,766
28 兵庫 (ひょうご)	神戸 (こうべ) 151.7	8,401	548	653	1,501	17.6	366	34	635	30	▪ 11.8	153,303	27,742
29 奈良 (なら)	奈良 (なら) 35.3	3,691	133	362	391	4.3	109	80	56	13	0.001	17,367	▪ 1,982
30 和歌山 (わかやま)	和歌山 (わかやま) 36.2	4,725	93	198	1,135	3.0	136	790	37	21	1.7	24,021	5,294
31 鳥取 (とっとり)	鳥取 (とっとり) 18.4	3,507	55	157	727	6.4	205	65	289	23	▪ 9.4	7,437	▪ 560
32 島根 (しまね)	松江 (まつえ) 19.9	6,708	66	99	611	8.8	99	43	270	35	9.4	11,711	▪ 1,891
33 岡山 (おかやま)	岡山 (おかやま) 70.4	・ 7,115	187	264	1,457	15.1	203	284	689	43	2.4	70,881	11,258
34 広島 (ひろしま)	広島 (ひろしま) 118.9	8,479	278	329	1,213	11.6	242	161	545	35	11.8	89,103	15,805
35 山口 (やまぐち)	山口 (やまぐち) 18.9	6,113	134	219	643	9.3	149	52	209	22	2.4	56,275	▪ 8,182
36 徳島 (とくしま)	徳島 (とくしま) 25.0	4,147	72	175	930	4.8	343	81	281	33	2.1	18,020	▪ 1,145
37 香川 (かがわ)	高松 (たかまつ) 42.4	・ 1,877	96	514	792	5.7	236	67	336	1	3.5	25,444	▪ 6,598
38 愛媛 (えひめ)	松山 (まつやま) 50.7	5,676	134	236	1,244	6.7	187	553	278	56	14.8	38,203	8,968
39 高知 (こうち)	高知 (こうち) 32.2	7,103	69	98	1,069	5.0	676	110	84	52	8.3	5,532	▪ 565
40 福岡 (ふくおか)	福岡 (ふくおか) 156.8	・ 4,988	510	1,024	1,968	16.4	668	257	397	17	6.7	89,950	14,729
41 佐賀 (さが)	佐賀 (さが) 23.0	2,441	81	333	1,206	11.9	309	204	356	15	8.3	20,334	▪ 2,776
42 長崎 (ながさき)	長崎 (ながさき) 40.6	4,131	132	320	1,551	5.1	439	151	579	14	25.1	16,301	933
43 熊本 (くまもと)	熊本 (くまもと) 73.1	・ 7,409	174	236	3,477	15.6	1,186	362	1,318	101	6.6	28,311	2,411
44 大分 (おおいた)	大分 (おおいた) 47.7	6,341	113	178	1,228	9.6	332	140	465	119	▪ 5.9	38,579	▪ 12,18
45 宮崎 (みやざき)	宮崎 (みやざき) 40.0	・ 7,734	107	139	3,478	7.8	661	130	2,308	213	13.6	16,463	▪ 61
46 鹿児島 (かごしま)	鹿児島 (かごしま) 60.0	9,186	160	175	4,997	8.9	545	105	3,329	66	11.0	20,027	▪ 1,08
47 沖縄 (おきなわ)	那覇 (なは) 31.8	2,282	148	651	922	0.2	119	53	420	* —	▪ 3.9	4,730	84
全国合計(全国平均)	—	377,974	12,592	(333)	88,600	756.3	21,467	9,159	34,062	2,185	423.4	3,035,547	397,74

注　1）北海道の面積は、歯舞群島95㎢、色丹島248㎢、国後島1,489㎢、択捉島3,167㎢をふくみ、島根県は竹島0.2㎢をふくむ。全国合計にもふくむ。
　　2）面積中・印のある県は、県境に境界未定地域があるため、その面積は総務省統計局で推計した面積による。
　　3）▲印のある都道府県の数値は一部の業種の数値をふくまないが、全国合計にはふくむ。
　　4）＊印のある都道府県の数値は、公表されていないが、全国合計にはふくむ。

〔農林水産統計、令和3年　経済センサス・活動調査、全国都道府県市区町村別面積調、ほか〕

② おもな農産物・工業製品の生産

工業 機械(億円)2020年	工業 化学(億円)2020年	工業 食品(億円)2020年	くらしと環境 1日1人あたりごみ排出量(g)2020年	くらしと環境 森林面積の割合(%)2020年	おもな伝統的工芸品と生産都市	都道府県
8,360	8,071	23,807	949	63.7	アットゥシ織（平取町）旭川木彫（旭川）	北海道 1
5,207	648	5,083	993	63.6	津軽塗（弘前）津軽凧（弘前）	青森 2
13,804	1,584	4,265	908	74.6	南部鉄器（盛岡、奥州）岩谷堂たんす（奥州）	岩手 3
19,023	6,824	8,852	977	55.4	こけし（大崎、蔵王町、白石、仙台）雄勝すずり（石巻）	宮城 4
7,117	1,042	1,176	987	70.3	川連しっ器（湯沢）かば細工（仙北）曲げわっぱ（大館）	秋田 5
14,650	3,783	3,693	901	69.0	山形鋳物（山形）将棋駒（天童）米沢織（米沢）	山形 6
21,094	10,465	3,983	1,033	68.0	会津塗（会津若松、喜多方）大堀相馬焼（浪江町）	福島 7
41,468	25,683	20,847	969	32.4	結城つむぎ（結城）笠間焼（笠間）	茨城 8
35,015	14,227	14,829	925	52.9	結城つむぎ（小山）益子焼（益子町）	栃木 9
41,309	12,713	11,884	990	64.0	伊勢崎かすり（伊勢崎）桐生織（桐生）	群馬 10
46,025	24,443	22,450	861	31.4	岩槻人形（さいたま）小川和紙（小川町）	埼玉 11
14,399	51,344	19,966	894	30.1	房州うちわ（館山、南房総）上総凧（市原、茂原）	千葉 12
35,806	6,056	8,850	839	34.7	東京染小紋（東京）多摩織（八王子）	東京 13
73,425	43,056	19,251	837	38.7	鎌倉彫（鎌倉）箱根寄木細工（箱根町）	神奈川 14
16,731	8,524	8,876	1,016	63.5	小千谷ちぢみ（小千谷）加茂桐たんす（加茂）	新潟 15
10,485	10,215	2,197	1,039	56.6	高岡銅器（高岡）井波彫刻（南砺）越中和紙（富山）	富山 16
16,287	2,346	1,549	913	66.3	加賀友禅（金沢）輪島塗（輪島）九谷焼（能美）	石川 17
8,812	3,871	731	938	73.9	越前しっ器（鯖江）越前和紙（越前）若狭塗（小浜）	福井 18
15,515	1,714	4,228	972	77.8	甲州水晶貴石細工（甲府）西島手漉和紙（身延町）	山梨 19
39,754	3,711	7,069	807	75.3	内山紙（飯山）木曽しっ器（塩尻）	長野 20
24,950	8,558	4,850	878	79.0	美濃焼（土岐、多治見）春慶塗（高山）美濃和紙（美濃）	岐阜 21
82,441	29,344	22,571	858	62.8	駿河竹千筋細工（静岡）駿河ひな人形（静岡）	静岡 22
313,905	37,690	22,731	895	42.1	常滑焼（常滑）豊橋筆（豊橋）瀬戸焼（瀬戸）	愛知 23
58,242	24,767	6,356	947	64.2	萬古焼（四日市、桑名）伊勢形紙（鈴鹿）伊賀くみひも（伊賀、名張）	三重 24
38,175	18,915	4,510	822	50.7	信楽焼（甲賀）近江上布（愛荘町）	滋賀 25
19,656	4,394	12,921	785	74.2	西陣織（京都）京友禅（京都）京焼・清水焼（京都）	京都 26
65,575	37,672	16,027	915	29.9	堺打刃物（堺、大阪）大阪泉州桐たんす（岸和田）	大阪 27
63,156	27,980	21,767	901	66.9	丹波立杭焼（丹波篠山）播州そろばん（小野）	兵庫 28
5,209	3,472	2,358	883	76.9	奈良筆（奈良、大和郡山）奈良墨（奈良）	奈良 29
4,570	9,393	2,380	938	76.2	紀州しっ器（海南）紀州たんす（和歌山）	和歌山 30
3,057	553	1,682	995	73.4	因州和紙（鳥取）弓浜がすり（境港）	鳥取 31
6,437	642	947	946	78.0	雲州そろばん（奥出雲町）石州和紙（江津、浜田）	島根 32
18,624	25,433	7,542	931	68.1	備前焼（備前）勝山竹細工（真庭）	岡山 33
48,744	10,542	6,565	877	71.9	熊野筆（熊野町）備後がすり（福山、府中）	広島 34
13,562	26,964	2,677	982	71.4	赤間すずり（宇部、下関）大内塗（山口）萩焼（萩）	山口 35
5,510	6,764	1,770	958	75.4	阿波和紙（吉野川）阿波正藍しじら織（徳島）	徳島 36
6,441	4,077	4,109	850	46.4	香川しっ器（高松）丸亀うちわ（丸亀）	香川 37
9,347	5,052	3,542	886	70.5	砥部焼（砥部町）大洲和紙（内子町、西予）	愛媛 38
1,496	262	1,050	958	83.3	土佐和紙（土佐）土佐打刃物（香美）	高知 39
39,709	11,235	15,307	946	44.5	博多織（福岡）久留米がすり（久留米）博多人形（福岡）	福岡 40
6,902	2,664	5,112	886	45.3	伊万里焼（伊万里）有田焼（有田町）唐津焼（唐津）	佐賀 41
10,862	398	3,008	972	58.5	三川内焼（佐世保）波佐見焼（波佐見町）	長崎 42
13,528	3,822	5,406	881	61.8	肥後ぞうがん（熊本）小代焼（荒尾）	熊本 43
13,183	8,118	2,664	950	70.8	別府竹細工（別府）小鹿田焼（日田）	大分 44
3,964	2,914	5,496	968	75.5	都城大弓（都城）碁石（日向）	宮崎 45
4,370	484	11,016	921	63.7	本場大島つむぎ（奄美）薩摩焼（日置、姶良）	鹿児島 46
158	232	2,510	881	46.7	琉球かすり（南風原町）琉球びんがた（那覇）壺屋焼（那覇）	沖縄 47
367,483	555,642	390,460	(901)	(64.7)		

おもな農産物・工業製品の生産（右欄グラフ）

米　756万t —2021年—
新潟8.2% 北海道7.6 秋田6.6 山形5.2 宮城4.7 茨城4.6 福島4.4 その他58.7

じゃがいも　218万t —2021年—
北海道77.5% 鹿児島4.2 長崎3.8 その他14.5

さつまいも　67万t —2021年—
鹿児島28.4% 茨城28.2 千葉13.0 宮崎10.6 徳島4.0 熊本2.7 その他13.1

きゅうり　55万t —2021年—
宮崎11.6% 群馬9.8 埼玉8.3 福島7.1 千葉5.7 高知4.6 その他48.3

キャベツ　149万t —2021年—
群馬19.7% 愛知18.0 千葉8.1 茨城7.4 長野4.9 鹿児島4.6 神奈川4.5 その他32.8

レタス　55万t —2021年—
長野32.7% 茨城15.9 群馬10.0 長崎6.4 兵庫4.7 静岡4.6 熊本3.1 その他22.6

いちご　16万t —2021年—
栃木14.8% 福岡10.1 熊本7.3 愛知6.5 長崎6.5 静岡5.6 茨城5.6 その他42.6

りんご　66万t —2021年—
青森62.8% 長野16.7 岩手6.4 山形4.9 その他4.0 福島2.8 秋田2.4

みかん　75万t —2021年—
和歌山19.7% 愛媛17.1 静岡13.3 熊本12.0 長崎6.9 佐賀6.2 愛知3.2 その他21.5

ぶどう　17万t —2021年—
山梨24.6% 長野17.4 岡山9.1 山形8.8 福岡4.2 北海道4.1 青森2.7 その他29.1

さくらんぼ　1万t —2021年—
山形69.9% 北海道11.5 山梨7.2 秋田2.7 その他8.7

もも　11万t —2021年—
山梨32.2% 福島22.6 長野9.9 山形8.3 和歌山6.8 岡山5.2 その他15.0

茶　8万t —2021年—
静岡38.0% 鹿児島33.9 三重6.9 宮崎3.9 京都3.1 その他14.2

さとうきび　136万t —2021年—
沖縄60.0% 鹿児島40.0

乳牛　137万頭 —2022年—
北海道61.7% 栃木4.0 熊本3.2 岩手2.9 群馬2.5 その他25.7

肉牛　261万頭 —2022年—
北海道21.2% 鹿児島12.9 宮崎9.7 熊本5.1 岩手3.4 栃木3.2 その他41.1

ぶた　895万頭 —2022年—
鹿児島13.4% 宮崎8.5 北海道8.1 群馬6.8 千葉6.5 岩手5.5 茨城4.7 その他46.5

にわとり(肉用)　1億3923万羽 —2022年—
鹿児島20.2% 宮崎19.8 岩手15.2 青森5.8 北海道3.7 徳島3.1 熊本2.8 その他29.4

輸送用機械　60兆2308億円 —2020年—
愛知38.8% 静岡6.6 神奈川5.1 福岡4.6 群馬4.4 三重4.3 その他31.3

電気機械　17兆8745億円 —2020年—
愛知19.0% 静岡13.3 兵庫7.2 栃木5.2 茨城5.1 滋賀4.8 大阪4.1 その他41.3

電子部品など　14兆6154億円 —2020年—
三重11.7% 長野5.3 兵庫3.3 山梨3.2 大分3.1 大阪2.3 京都2.1 その他66.2

鉄鋼　15兆1183億円 —2020年—
愛知14.2% 兵庫11.1 千葉9.2 大阪8.0 広島6.1 岡山 福山 その他40.6

〔農林水産統計、令和3年　経済センサス・活動調査〕

世界の統計

❶世界のおもな国々と日本の結びつき

「日本との貿易」の中の赤太字は、輸出・輸入の額がとくに多いもの

州名	正式国名	首都	面積(万km²)2021年	人口(万人)2021年	人口密度(人/km²)2021年	日本からの輸入(億円)2021年	日本からの輸入 品目	日本への輸出(億円)2021年	日本への輸出 品目
	日本国◇	東京	38	12,592	333	―		―	
アジア州	アフガニスタン・イスラム共和国	カブール	65	3,206	49	33	自動車、タイヤ・チューブ、自転車	0.4	しき物類、電気機械、ドライフルーツ
	アラブ首長国連邦	アブダビ	7	928	131	7,717	自動車、一般機械、自動車部品	29,780	石油、石油製品
	アルメニア共和国	エレバン	3	296	100	8	タイヤ・チューブ、一般機械、芳香油・化粧品	28	衣類、アルミニウム
	イエメン共和国	サヌア	53	3,041	58	324	自動車、自動車部品、一般機械	7	コーヒー豆、魚の肝油
	イスラエル国	エルサレム	2	921	417	1,884	自動車、一般機械、電気機械	1,422	電気機械、科学光学機器、一般機械
	イラク共和国	バグダッド	44	3,985	92	466	自動車、鉄鋼、電気機械	252	石油、石油製品
	イラン・イスラム共和国	テヘラン	163	8,405	52	77	電気機械、医薬品、科学光学機器	42	しき物類、果実
	インド	デリー	329	136,717	416	14,111	一般機械、電気機械、化学製品	6,744	化学製品、石油製品、電気機械
	インドネシア共和国	ジャカルタ	191	27,268	143	14,654	一般機械、鉄鋼、自動車部品	21,569	石炭、電気機械、銅鉱石
	カザフスタン共和国	アスタナ	272	1,900	7	384	自動車、一般機械、タイヤ・チューブ	794	合金鉄、石油
	カタール国	ドーハ	1	274	236	1,011	自動車、一般機械、鉄鋼	12,770	石油、液化天然ガス、石油製品
	カンボジア王国	プノンペン	18	1,659	92	635	肉類、一般機械、電気機械	1,918	衣類、はき物、バッグ類
	キプロス共和国	ニコシア	0.9	89	97	137	自動車	1	化粧品、ジュース、まぐろ
	クウェート国	クウェート	2	433	243	1,618	自動車、鉄鋼	7,273	石油、石油製品
	サウジアラビア王国	リヤド	221	3,411	15	4,889	自動車、一般機械	30,194	石油
	ジョージア	トビリシ	7	370	53	189	自動車、タイヤ・チューブ	26	アルミニウム
	シリア・アラブ共和国	ダマスカス	19	1,799	97	8	電気機械、医薬品、一般機械	1	石けん
	シンガポール共和国	シンガポール	0.07	545	7,485	22,006	電気機械、一般機械、金	9,737	一般機械、電気機械、医薬品
	スリランカ民主社会主義共和国	スリジャヤワルダナプラコッテ	7	2,215	338	355	一般機械、電気機械、自動車	314	衣類、紅茶、えび
	タイ王国	バンコク	51	6,667	130	36,246	電気機械、一般機械、鉄鋼、自動車部品	28,931	電気機械、一般機械、肉類
	大韓民国	ソウル	10	5,174	515	57,696	一般機械、電気機械、鉄鋼、プラスチック、化学製品	35,213	石油製品、電気機械、一般機械、鉄鋼
	中華人民共和国※	ペキン	960	144,407	150	179,844	一般機械、電気機械、プラスチック、自動車、科学光学機器	203,818	電気機械、一般機械、衣類、金属製品、せんい製品
	朝鮮民主主義人民共和国	ピョンヤン	12	2,518	209	―		―	
	トルコ共和国	アンカラ	78	8,414	107	3,490	一般機械、電気機械、鉄鋼	886	衣類、まぐろ、一般機械
	ネパール	カトマンズ	15	3,037	206	46	電気機械、自動車、医薬品	10	衣類、せんい製品
	パキスタン・イスラム共和国	イスラマバード	80	20,768	261	2,529	自動車、鉄鋼、一般機械	294	せんい製品、衣類、石油製品
	バーレーン王国	マナーマ	0.08	150	1,930	572	自動車、一般機械、自動車部品	1,346	石油製品、石油、アルミニウム
	バングラデシュ人民共和国	ダッカ	15	16,822	1,133	2,578	鉄鋼、一般機械、自動車	1,589	衣類
	フィリピン共和国	マニラ	30	11,019	367	12,197	電気機械、一般機械、自動車	11,968	電気機械、木製品、一般機械、バナナ
	ブルネイ・ダルサラーム国	バンダルスリブガワン	0.6	42	75	256	自動車、一般機械	2,594	液化天然ガス
	ベトナム社会主義共和国	ハノイ	33	9,850	297	20,968	電気機械、一般機械、鉄鋼	25,255	電気機械、衣類、一般機械
	マレーシア	クアラルンプール	33	3,265	99	17,137	電気機械、一般機械、自動車	21,664	電気機械、液化天然ガス
	ミャンマー連邦共和国	ネーピードー	68	5,529	82	369	自動車、せんい製品、一般機械	1,054	衣類、はき物、えび
	モンゴル国	ウランバートル	156	338	2	548	自動車、一般機械	39	ほたる石、電気機械
	ラオス人民民主共和国	ビエンチャン	24	733	31	141	自動車、一般機械、電気機械	143	衣類、電気機械、はき物
ヨーロッパ州	イタリア共和国	ローマ	30	5,923	196	5,492	一般機械、自動車、電気機械	12,809	たばこ、医薬品、バッグ類
	ウクライナ	キーウ	60	4,141	69	640	自動車	799	たばこ、鉄鉱石
	オーストリア共和国	ウィーン	8	893	106	1,362	一般機械、自動車、電気機械	2,476	自動車、一般機械、電気機械
	オランダ王国	アムステルダム	4	1,747	421	13,818	一般機械、電気機械、自動車部品	3,578	一般機械、電気機械、医薬品
	ギリシャ共和国	アテネ	13	1,067	81	288	一般機械、自動車、貨物船	660	たばこ、医薬品
	グレートブリテン及び北アイルランド連合王国(イギリス)	ロンドン	24	6,708	274	11,378	一般機械、自動車、電気機械	7,580	一般機械、医薬品、自動車
	クロアチア共和国	ザグレブ	6	403	71	66	自動車、一般機械、鉄鋼	82	まぐろ、一般機械、石油製品
	スイス連邦	ベルン	4	869	211	4,836	医薬品、金	9,215	医薬品、時計、科学光学機器
	スウェーデン王国	ストックホルム	44	1,037	24	1,454	自動車、一般機械、電気機械	3,467	医薬品、自動車、木材
	スペイン王国	マドリード	51	4,732	94	2,636	自動車、一般機械、電気機械	5,932	医薬品、ぶた肉、自動車
	デンマーク王国	コペンハーゲン	4	585	136	627	自動車、一般機械、電気機械	2,633	医薬品、ぶた肉、電気機械
	ドイツ連邦共和国	ベルリン	36	8,315	233	22,791	電気機械、一般機械、自動車	26,030	医薬品、自動車、電気機械、一般機械

○日本国の面積、人口、人口密度は2022年。　※中華人民共和国の面積、人口、人口密度には、ホンコン、マカオ、台湾をふくむ。　★オーランド諸島をふくむ。
◆フランス領ギアナ、マルティニーク、グアドループ、レユニオン、マヨットをふくむ。　＊国連の統計による（五大湖などの水域面積をふくむ）。
注　1）一般機械とは、原動機（ボイラーなど）、事務用機器（コンピュータなど）、農業用機械（トラクターなど）、建設用機械（ブルドーザーなど）などをさす。
　　2）電気機械とは、通信機、電子部品（ICなど）、家庭用電気機器などをさす。

〔財務省貿易統計、世界人口年鑑2021、ほか〕

州名	正式国名	首都	面積（万km²）2021年	人口（万人）2021年	人口密度（人/km²）2021年	日本からの輸入（億円）2021年		日本への輸出（億円）2021年	
ヨーロッパ州	ハンガリー	ブダペスト	9	973	105	1,910	一般機械、電気機械、自動車	1,310	自動車、一般機械、電気機械
	フィンランド共和国★	ヘルシンキ	34	556	16	519	自動車、一般機械、電気機械	2,163	木材、コバルト、木製品
	フランス共和国◆	パリ	64	6,765	106	7,309	一般機械、自動車、電気機械	12,792	航空機、医薬品、ワイン
	ブルガリア共和国	ソフィア	11	691	63	216	電気機械、一般機械	142	衣類、電気機械、一般機械
	ベルギー王国	ブリュッセル	3	1,155	378	7,897	自動車部品、一般機械、自動車	7,006	医薬品、化学製品
	ポーランド共和国	ワルシャワ	31	3,784	121	3,683	電気機械、自動車、一般機械	1,283	一般機械、電気機械、自動車
	ポルトガル共和国	リスボン	9	1,029	112	838	鉄鋼、一般機械、自動車	497	自動車、衣類、トマト加工品
	ロシア連邦	モスクワ	1,710	14,409	8	8,623	自動車、一般機械、自動車部品	15,516	液化天然ガス、石炭、石油、魚かい類
アフリカ州	エジプト・アラブ共和国	カイロ	100	10,206	102	1,196	自動車、一般機械、電気機械	349	液化天然ガス、石油製品
	エチオピア連邦民主共和国	アディスアベバ	110	10,286	93	78	自動車、鉄鋼、一般機械	98	コーヒー豆、切り花
	ガーナ共和国	アクラ	24	3,095	130	199	自動車、一般機械、タイヤ・チューブ	145	カカオ豆、アルミニウム
	カメルーン共和国	ヤウンデ	48	2,676	56	34	化学せんい、自動車、一般機械	8	アルミニウム、木材、カカオ豆
	ケニア共和国	ナイロビ	59	4,755	80	1,128	自動車、鉄鋼、一般機械	85	コーヒー豆、紅茶
	ナイジェリア連邦共和国	アブジャ	92	20,628	223	315	化学せんい、自動車、一般機械	835	液化天然ガス、アルミニウム、ごま
	マダガスカル共和国	アンタナナリボ	59	2,817	48	14	自動車、一般機械、タイヤ・チューブ	199	ニッケル、コバルト
	南アフリカ共和国	プレトリア	122	6,014	49	2,593	自動車、一般機械、自動車部品	11,109	ロジウム、パラジウム、プラチナ
北アメリカ州	アメリカ合衆国	ワシントンD.C.	＊983	33,189	34	148,315	一般機械、自動車、電気機械、自動車部品、科学光学機器	89,156	一般機械、電気機械、医薬品、液化石油ガス、飼料用とうもろこし
	エルサルバドル共和国	サンサルバドル	2	632	301	195	鉄鋼、自動車、一般機械	23	コーヒー豆、衣類、電気機械
	カナダ	オタワ	＊998	3,824	4	9,169	自動車、一般機械、自動車部品	15,065	なたね、鉄鉱石、ぶた肉、銅鉱石、木材
	キューバ共和国	ハバナ	11	1,114	101	16	電気機械、一般機械、プラスチック	5	たばこ、コーヒー豆、えび
	グアテマラ共和国	グアテマラシティ	11	1,710	157	350	自動車、鉄鋼、一般機械	187	コーヒー豆、バナナ、ごま
	ジャマイカ	キングストン	1	273	249	208	自動車	11	コーヒー豆、ラム酒、とうがらし
	パナマ共和国	パナマシティ	8	433	58	5,277	貨物船、一般機械	998	銅鉱石、船舶
	メキシコ合衆国	メキシコシティ	196	12,897	66	11,895	一般機械、鉄鋼、電気機械	6,348	電気機械、ぶた肉、一般機械
南アメリカ州	アルゼンチン共和国	ブエノスアイレス	278	4,580	16	955	自動車部品、一般機械、電気機械	1,064	飼料用とうもろこし、えび、飼料
	エクアドル共和国	キト	26	1,775	69	478	鉄鋼、自動車、一般機械	1,392	石油、バナナ、冷凍ブロッコリー
	コロンビア共和国	ボゴタ	114	5,104	45	1,335	自動車、鉄鋼、一般機械	550	コーヒー豆、石炭、カーネーション
	チリ共和国	サンティアゴ	76	1,967	26	2,031	自動車、石油製品、一般機械	8,547	銅鉱石、さけ・ます、モリブデン鉱
	パラグアイ共和国	アスンシオン	41	735	18	96	自動車、電気機械、一般機械	67	飼料、ごま
	ブラジル連邦共和国	ブラジリア	851	21,331	25	4,596	自動車部品、一般機械、電気機械	10,825	鉄鉱石、にわとり肉、飼料用とうもろこし、コーヒー豆
	ペルー共和国	リマ	129	3,303	26	772	自動車、タイヤ・チューブ、鉄鋼	3,156	銅鉱石、石油製品、あえん鉱
	ボリビア多民族国	ラパス	110	1,184	11	104	自動車、一般機械、タイヤ・チューブ	560	あえん鉱、銀鉱、なまり鉱
オセアニア州	オーストラリア連邦	キャンベラ	769	2,573	3	16,745	自動車、一般機械、石油製品	57,533	石炭、液化天然ガス、鉄鉱石、銅鉱石、牛肉
	ツバル	フナフティ	0.003	1	411	46	船舶	0.2	まぐろ
	トンガ王国	ヌクアロファ	0.07	9	133	10	自動車、電気機械	1	まぐろ、もずく、かぼちゃ
	ニュージーランド	ウェリントン	27	512	19	3,208	自動車、一般機械	3,042	キウイフルーツ、アルミニウム、チーズ
	パプアニューギニア独立国	ポートモレスビー	46	912	20	203	自動車、一般機械、タイヤ・チューブ	3,332	液化天然ガス、銅鉱石、石油製品

②日本の農水産物・資源の輸入先

—2021年—〔財務省貿易統計〕

小麦　513万t
| アメリカ合衆国 44.2% | カナダ 35.1 | オーストラリア 20.6 | その他 0.1 |

牛肉　58万t
| オーストラリア 40.7% | アメリカ合衆国 39.8 | カナダ 8.5 | メキシコ 3.3 | ニュージーランド 4.7 | その他 3.0 |

石油　1億4431万kL
| サウジアラビア 39.7% | アラブ首長国連邦 34.7 | クウェート 8.4 | カタール 7.6 | ロシア 3.6 | その他 6.0 |

だいず　327万t
| アメリカ合衆国 75.9% | ブラジル 15.1 | カナダ 8.3 | その他 0.7 |

えび　16万t
| インド 26.7% | ベトナム 17.4 | インドネシア 15.3 | 中国 10.2 | タイ 5.7 | アルゼンチン 3.9 | その他 20.8 |

石炭　1億8261万t
| オーストラリア 65.4% | インドネシア 12.4 | ロシア 10.8 | カナダ 5.3 | アメリカ合衆国 2.3 | その他 1.9 |

野菜類　275万t
| 中国 51.4% | アメリカ合衆国 17.2 | イタリア 3.9 | タイ 3.7 | ニュージーランド 3.1 | その他 20.7 |

バナナ　111万t
| フィリピン 76.1% | エクアドル 12.3 | メキシコ 6.7 | その他 4.9 |

鉄鉱石　1億1307万t
| オーストラリア 58.8% | ブラジル 26.6 | カナダ 6.3 | 南アフリカ共和国 3.3 | その他 5.0 |

統計

●さくいんの見かた

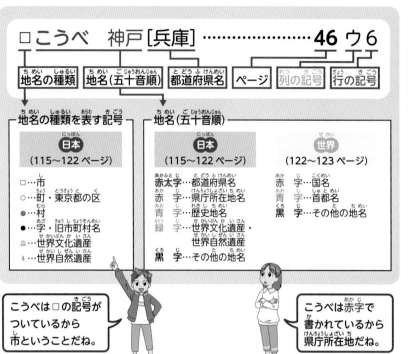

□ こうべ　神戸[兵庫] ……………… 46 ウ6

地名の種類｜地名(五十音順)｜都道府県名｜ページ｜列の記号｜行の記号

地名の種類を表す記号

日本
(115〜122ページ)

□…市
○…町・東京都の区
●…村
●…字・旧市町村名
🏛…世界文化遺産
⚜…世界自然遺産

地名(五十音順)

日本
(115〜122ページ)

赤太字…都道府県名
赤字…県庁所在地名
青字…歴史地名
緑字…世界文化遺産・
世界自然遺産
黒字…その他の地名

世界
(122〜123ページ)

赤字…国名
青字…首都名
黒字…その他の地名

こうべは□の記号がついているから市ということだね。

こうべは赤字で書かれているから県庁所在地だね。

地図マスターへの道

93 地図の使い方　あなたの住んでいる市区町村をさくいんからさがし、下の空らんに記入しよう。

市区町村名	ページ	列の記号	行の記号

94 地図の使い方　下の三つの地名を、さくいんを手がかりに地図帳の中からさがしてみよう。

□ つる　都留[山梨]
□ さくら　[栃木]
□ かに　可児[岐阜]

95 地図の使い方　オリンピックを開催したことがある下の二つの地名を、さくいんを手がかりに地図帳の中からさがしてみよう。

□ リオデジャネイロ[ブラジル]
□ パリ[フランス]

日 本 の 部

世 界 の 部

地図マスターへの道にちょうせんしよう！

問題番号
全部で100問あります。

問題に関連する社会科の学習内容がわかります。
→ 5年 気候と生活

問題に正しく答えられたら、☑に印(✓)をつけよう。
問題の答えは、このページの下にあります。

51 ☑

51 ☑ ★
問題の難しさによって、1〜3までのレベルがあります。
51 ☑ ★（レベル1）　52 ☑ ★★（レベル2）　53 ☑ ★★★（レベル3）

☑に印(✓)をつけたらこのページを開いて、その問題番号を下の□にかきこもう。
答えた順番に取り組みのようすを記録して、どんどん冒険を進めていこう！

地図マスターへの道　問題の答え

問題と答えの一覧

p.22 ①沖縄美ら海水族館 ②省略　p.24 ③熊本城（熊本県）、姫路城（兵庫県）、大阪城（大阪府）、彦根城（滋賀県）、名古屋城（愛知県）のうち三つ ④大阪府、兵庫県、岡山県、広島県、山口県、福岡県　p.26 ⑤山梨県と静岡県 ⑥（例）いちご、栃木県 ⑦およそ240km　p.28 ⑧青森ねぶた祭（青森県）、秋田竿燈まつり（秋田県）、山形花笠まつり（山形県）、盛岡さんさ踊り（岩手県）、仙台七夕まつり（宮城県）、相馬野馬追（福島県） ⑨奥羽山脈 ⑩さくらんぼ、西洋なし　p.30 ⑪スキー場、スキージャンプ、カーリング ⑫東 ⑬貴重な動植物　p.31 ⑭南端…沖ノ鳥島、北端…択捉島、東端…南鳥島、西端…与那国島 ⑮択捉島、国後島、色丹島、歯舞群島 ⑯那覇　p.33 ⑰与那国島 ⑱パイナップル、マンゴー、シークワーサー ⑲14.4%／省略　p.36 ⑳※宇土半島にあります ㉑筑紫平野 ㉒自動車　p.40 ㉓※米子空港は境港市、鳥取砂丘コナン空港は鳥取市にあります ㉔1729m（鳥取県の大山） ㉕広島市　p.42 ㉖香川県 ㉗愛媛県と広島県（瀬戸内しまなみ海道）、香川県と岡山県（瀬戸中央自動車道）、徳島県と兵庫県（神戸淡路鳴門自動車道） ㉘ピーマン、きゅうり、ししとう、にら、なす　p.45 ㉙※さくいん記号46ページ6オ6にあります（信楽焼） ㉚明石市（兵庫県） ㉛県名…和歌山県／（例）…みかん、はっさく、かき、もも、うめのうち一つ　p.54 ㉜北 ㉝二条城　p.56 ㉞13日 ㉟省略 ㊱富士山、北岳、穂高岳（奥穂高岳）、間ノ岳、槍ケ岳、赤石岳、など ㊲キャベツ、レタス、はくさい　p.61 ㊳（例）野辺山原は8月の平均気温が低くすずしい気候で、夏のあつい時期でも野菜を出荷できるから。 ㊴省略 ㊵※自動車の組立工場の記号は愛知県豊田市、大府市、刈谷市、岡崎市、田原市にあります ㊶（例）高速道路を通って運ばれたり、自動車積み出し港から船で運ばれたりして出荷されている。 ㊷およそ60km　p.66 ㊸※千葉県浦安市にあります ㊹東京 ㊺（例）輸入した原料の石油などを船で運ぶのに便利なため。　p.70 ㊻武家地 ㊼（例）江戸時代よりも陸地が広がった。　p.74 ㊽四 ㊾田、果樹園 ㊿（例）養殖に必要な養分が、漁師が木を植えた森から気仙沼湾に流れてくるから。　p.78 51流氷のくる海岸 52およそ37倍 53石狩平野…田／十勝平野…畑／根釧台地…牧草地　p.80 54（例）十勝平野でとれるじゃがいも、にんじん、北見盆地でとれるたまねぎ、内浦湾でとれるほたて貝 55（例）じゃがいも、乳牛、肉牛　p.84 568848m 57中華人民共和国（中国） 58石炭、鉄鉱石など／省略　p.86 59スリランカ 60インドネシア 61ホルムズ海峡、マラッカ海峡　p.88 62ンジャメナ（チャド） 63イギリス 64アフリカ　p.90 65イタリア 66カステラ（ポルトガル）、ガラス（オランダ）などのうちーつ 67ヨーロッパの国…ポルトガル、スペイン、イタリア、アルバニア、ギリシャのうち二つ／日本の都道府県…秋田県、岩手県　p.91 68アマゾン川 69パナマ運河 70（例）アメリカ合衆国の東側からアジア州へ船で移動するとき、南アメリカ大陸を回らなくてすむから。　p.93 71カリフォルニア州 72ノース（NORTH）…ノースダコタ州、ノースカロライナ州／サウス（SOUTH）…サウスダコタ州、サウスカロライナ州／ニュー（NEW）…ニューメキシコ州、ニューヨーク州、ニューハンプシャー州、ニュージャージー州 73※小麦はノースダコタ州とカンザス州、だいずはイリノイ州にあります／小麦…44.2%、だいず…75.9%　p.95 74山地 75信濃川 76およそ6倍　p.98 77太平洋側 78（例）日本海をわたるときにたくさんの水蒸気をふくんだ季節風が、山地にぶつかって日本海側に雪や雨を降らせるため。　p.100 79兵庫県南部地震（阪神・淡路大震災） 80夏・秋　p.102 81（例）東日本大震災の津波の浸水範囲より外側にある。 82老人ホーム／（例）川に近く、3.0m〜5.0m浸水する予想になっているから。　p.103 83和歌山県 84銚子、釧路、焼津 85（例）平野で大きな川が流れている。　p.106 86自動車・自動車部品（工業） 87海の近く 88（例）海沿いだけでなく、内陸にも工場が広がっている。　p.108 89機械、自動車 90アフリカ大陸　p.110 91省略 92（例）三方が山、一方が海で、敵から攻撃されにくい場所だった。　p.115 93省略 94つる 都留[山梨]…58カ5／さくら[栃木]…63オ4／かに（可児）[岐阜]…58ウ6 95リオデジャネイロ[ブラジル]…92セ12、パリ[フランス]…89オ4　p.127 96（例）東大寺、正倉院、興福寺 97（例）白神山地…74ウ5　p.128 98栃木県、群馬県、埼玉県、山梨県、長野県、岐阜県、滋賀県、奈良県 99長野県　p.132 100イギリス

SDGsの17のゴール、など

1 持続可能な社会をめざして －世界の課題－

世界にはさまざまな課題があり、このままでは豊かな世界を未来に残せないのではないかといわれています。どこにどんな課題があるか、その解決の取り組みとして何が行われているか、SDGsを通して見てみましょう。

ア 干ばつなどの影響により作物が育たず、食料を買うお金もないため、健康的な食事をとれません。

イ 毎日何時間もかけて、川や池から安全でない飲み水をくみに行かなければなりません。

ウ 適切に処理されなかったプラスチックごみが海に流れつき、生物を苦しめるといわれています。

エ 地球温暖化によって海面が上昇すると、国土が沈むおそれがあるといわれています。

オ 車や工場からの排気ガスがたまり、健康被害が出ています。

カ 経済発展を目指して過度な開発が行われ、熱帯林が失われています。

キ 北極海の氷が溶け、ホッキョクグマのすむ場所が失われつつあります。

→90ページ　→85ページ　→84ページ　→88ページ

ユーラシア大陸　アフリカ大陸　ゴリラ　インド洋

イ 水くみに行く子ども

ア 食料の配給を待つ子ども

世界の課題を解決するために、わたしたちにできることはないかな。

2 各地の取り組み

A マダガスカル
子どもたちの栄養状態を改善するため、国際連合が給食支援を行っています。給食があれば、学校に通う子どもの数も増え、勉強にも集中できます。

B カンボジア
安全な水をいつでも使えるように、新しい井戸を掘る、水道を整備するなどの支援が続けられています。

1 貧困をなくそう

2 飢餓をゼロに

3 すべての人に健康と福祉を

4 質の高い教育をみんなに

5 ジェンダー平等を実現しよう

6 安全な水とトイレを世界中に

7 エネルギーをみんなにそしてクリーンに

8 働きがいも経済成長も

9 産業と技術革新の基盤をつくろう

10 人や国の不平等をなくそう

11 住み続けられるまちづくりを

12 つくる責任つかう責任

13 気候変動に具体的な対策を

14 海の豊かさを守ろう

15 陸の豊かさも守ろう

16 平和と公正をすべての人に

17 パートナーシップで目標を達成しよう

SDGsに関係する資料
SDGs
→70ページ
→101～102ページ
→106ページ
→108ページ

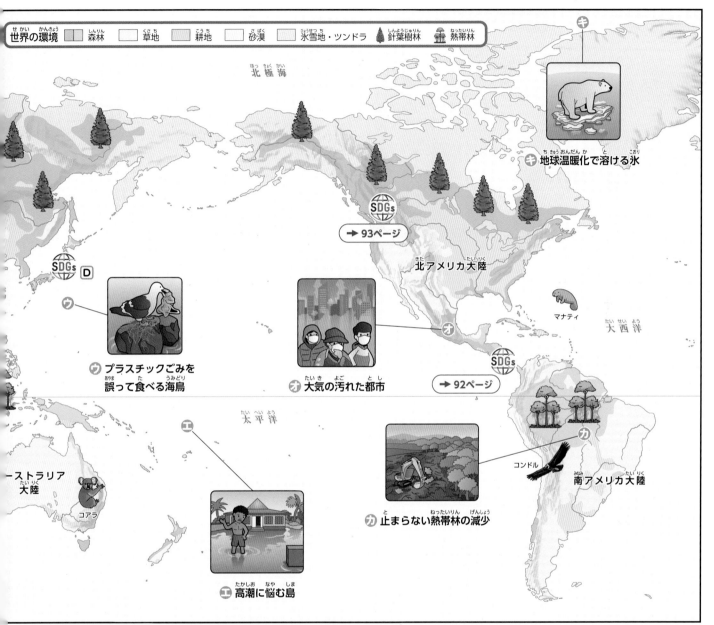

世界の環境　☐森林　☐草地　☐耕地　☐砂漠　☐氷雪地・ツンドラ　針葉樹林　熱帯林

北極海

キ 地球温暖化で溶ける氷

SDGs →93ページ

北アメリカ大陸

SDGs D

ウ プラスチックごみを誤って食べる海鳥

オ 大気の汚れた都市

SDGs →92ページ

マナティ

大西洋

太平洋

エ

コンドル

南アメリカ大陸

カ 止まらない熱帯林の減少

オーストラリア大陸

コアラ

エ 高潮に悩む島

地球温暖化は、二酸化炭素をはじめとする温室効果ガスの増加が原因だといわれています。

二酸化炭素を多く出しているのは何かな？

ク 世界の二酸化炭素排出の原因（2020年）

家庭 6.1
その他 14.4
発電・製油など 37.6%
工業 19.5
運輸 22.4
総数 316.7億t

〔IEA資料〕

C オランダ
自動車から出る二酸化炭素をへらすため、自転車の普及が進んでいます。

D 日本
再生可能エネルギーを活用し、石油などの化石燃料に頼らない発電を目指しています。

①日本の世界遺産

日本の世界遺産
の写真と地図

1：9,500,000
0 100km

ア 知床 🌲（北海道）

イ 白神山地（青森県・秋田県）

ウ 小笠原諸島（東京都）

エ 屋久島 🌲（鹿児島県）

―2023年5月―

🌲知床 世界自然遺産　🏛富士山 世界文化遺産
ア～シは写真の撮影地

北海道・北東北の縄文遺跡群

白神山地

三内丸山遺跡　平泉　橋野鉄鉱山　カ

日光の社寺　キ
五箇山　富岡製糸場
古都京都の文化財　白川郷
石見銀山　姫路城　シ　富士山　ク
松下村塾ほか　韮山反射炉
八幡製鐵所　原爆ダ　サ　国立西洋美術館
厳島神社　法隆寺　古都奈良の文化財
沖ノ島　コ
紀伊山地の霊場と参詣道
百舌鳥・古市古墳群

端島炭坑　ソ
旧集成館ほか
長崎と天草地方の
潜伏キリシタン関連遺産
屋久島　エ

小笠原諸島
父島　母島
0 20km
奄美大島、徳之島、
沖縄島北部及び西表島
首里城跡ほか

オ 三内丸山遺跡 🏛（青森県）

カ 中尊寺金色堂 🏛（岩手県）

キ 東照宮陽明門 🏛（栃木県）

ク 富士山 🏛（山梨県・静岡県）

ケ 白川郷 🏛（岐阜県）

コ 法隆寺 🏛（奈良県）

サ 清水寺 🏛（京都府）

シ 姫路城 🏛（兵庫県）

ス 原爆ドーム 🏛（広島県）

セ 端島炭坑 🏛（長崎県）

ソ 大浦天主堂 🏛（長崎県）

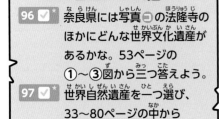
地図マスターへの道
96 奈良県には写真コの法隆寺の
ほかにどんな世界文化遺産が
あるかな。53ページの
①～③図から三つ答えよう。
97 世界自然遺産を一つ選び、
33～80ページの中から
さがしてみよう。

パズルクイズ、スリーヒントクイズ、など

いろいろな方法で都道府県について考えられるね。

47都道府県のここに注目しよう

形に注目

都道府県の形はさまざまです。都道府県の形を似ているものに例えると、わかりやすくなります。

①  福井県 → ムササビ

②  静岡県 → 金魚

③ 兵庫県 → たぬき

④ 高知県 → 竜

⑤ 千葉県 県の形が、そのままご当地キャラクターとなった「チーバくん」

文字に注目

都道府県の名前についている文字に注目してみよう。下の⑥⑦⑧⑨の漢字がつく都道府県をさがしてみよう。

⑥ 山
ヒント：六つあるよ

⑦ 川
ヒント：三つあるよ

⑧ 島
ヒント：五つあるよ

⑨ 動物
熊　鳥　鹿　馬
ヒント：一つずつあるよ

手話で表す都道府県

手話で都道府県を表すこともできます。

⑩ 北海道
北海道の形（ひし形）を示します。

⑪ 山形県
特産の さくらんぼ の形を示します。

地図マスターへの道

98 ☐ 海に面していない都道府県を答えよう。
4年都道府県　ヒント：八つあるよ。

99 ☐ 最も多くの都道府県と接している都道府県を答えよう。
4年都道府県　ヒント：八つの県と接しているよ。

地図

42°
40°
38°
36°
34°
32°
30°
20°

朝鮮半島

ウルルン島
竹島
島根県

島根県
隠岐諸島

中国地方
鳥取
松江
島根県
岡
広島県
山口県
山口
香川
松山
愛媛県
高知県
四国

対馬
長崎県
壱岐
五島列島
長崎県
佐賀県
佐賀
福岡
福岡県
大分県
大分
熊本
熊本県
九州地方
宮崎県
宮崎
鹿児島
鹿児島県
大隅諸島
種子島
屋久島

128°　130°　132°

日

5

ユーラシア大陸

1 都道府県の区分

■ 都・道・府・県庁の所在地
―― 地方の境界
―・― 都・道・府・県の境界
━━ 日本と外国との境界

※縮尺・記号ともに2図〜5図共通

1：6,500,000